Brandschutz im Baudenkmal – Wohn- und Bürobauten

Jetzt diesen Titel zusätzlich als E-Book downloaden und 70 % sparen!

Als Käufer dieses Buchtitels haben Sie Anspruch auf ein besonderes Kombi-Angebot: Sie können den Titel zusätzlich zum Ihnen vorliegenden gedruckten Exemplar für nur 30 % des Normalpreises als E-Book beziehen.

Der BESONDERE VORTEIL: Im E-Book recherchieren Sie in Sekundenschnelle die gewünschten Themen und Textpassagen. Denn die E-Book-Variante ist mit einer komfortablen Volltextsuche ausgestattet!

Deshalb: Zögern Sie nicht. Laden Sie sich am besten gleich Ihre persönliche E-Book-Ausgabe dieses Titels herunter.

In 3 einfachen Schritten zum E-Book:

❶ Rufen Sie die Website **www.beuth.de/e-book** auf.

❷ Geben Sie hier Ihren persönlichen, nur einmal verwendbaren E-Book-Code ein:

30762K4894C8C1A

❸ Klicken Sie das „Download-Feld“ an und gehen dann weiter zum Warenkorb. Führen Sie den normalen Bestellprozess aus.

Hinweis: Der E-Book-Code wurde individuell für Sie als Erwerber dieses Buches erzeugt und darf nicht an Dritte weitergegeben werden. Mit Zurückziehung dieses Buches wird auch der damit verbundene E-Book-Code für den Download ungültig.

Brandschutz im Baudenkmal

DIN

Gerd Geburtig

Brandschutz im Baudenkmal

Wohn- und Bürobauten

2., überarbeitete und erweiterte Auflage 2021

Herausgeber:
DIN Deutsches Institut für Normung e. V.

Fraunhofer IRB Verlag

Beuth Verlag GmbH · Berlin · Wien · Zürich

Herausgeber: DIN Deutsches Institut für Normung e. V.

Berlin · Wien · Zürich
Am DIN-Platz
Burggrafenstraße 6
10787 Berlin

Telefon: +49 30 2601-0
Telefax: +49 30 2601-1260
Internet: www.beuth.de
E-Mail: kundenservice@beuth.de

Fraunhofer IRB Verlag
Fraunhofer-Informationszentrum
Raum und Bau IRB
Nobelstraße 12
70569 Stuttgart

Telefon: +49 711 970-25 00
Telefax: +49 711 970-25 08
Internet: www.baufachinformation.de
E-Mail: irb@irb.fraunhofer.de

Satz: Beuth Verlag GmbH, Berlin

Druck: Plump Druck & Medien GmbH, Rheinbreitbach

Gedruckt auf säurefreiem, alterungsbeständigem Papier nach DIN EN ISO 9706

ISBN 978-3-410-30762-4 (Beuth Verlag)
ISBN (E-Book) 978-3-410-30763-1 (Beuth Verlag)
ISBN 978-3-7388-0655-7 (Fraunhofer IRB Verlag)

Vorwort zur 2. Auflage

Mit der zweiten Auflage werden die Gedanken hinsichtlich einer denkmalgerechten brandschutztechnischen Behandlung von Wohn- und Bürobauten fortgeführt und ergänzt.

Vor dem Hintergrund der sich gegenwärtig liberalisierenden Vorschriften zur Verwendung des Baustoffes „Holz“ in der Musterbauordnung und in den Landesbauordnungen sollte insbesondere dieser pauschale „Vorwurf“ der brandschutztechnischen Unzuverlässigkeit vieler Baudenkmale mit hölzernen Bauteilen vom Tisch und der Raum für einen noch angemesseneren brandschutztechnischen Umgang mit Baudenkmalen gegeben sein.

Diesem Band, um neue Praxisdetails erweitert, wurde die historische Einheitsbauordnung Preußens aus dem Jahr 1919 hinzugefügt, weil diese für viele historische „Standard-Gebäude“ die brandschutztechnischen Maßstäbe setzt und somit eine geeignete brandschutztechnische Richtschnur verkörpert.

Möge auch diese überarbeitete Auflage damit weiter dazu beitragen, Baudenkmalen vernünftig und gebührlich aus brandschutztechnischer Sicht zu begegnen sowie passende Schlüssel für den Brandschutz bei denkmalgeschützten Wohn- und Bürogebäuden bereithalten.

Prof. Gerd Geburtig

Ribnitz-Damgarten/Weimar, im Juni 2021

Vorwort zur 1. Auflage

Ermuntert von dem Erfolg des veröffentlichten Bandes „Brandschutz im Baudenkmal – Grundlagen“, ist das Buch als Fortführung der Auseinandersetzung mit geeigneten Brandschutzmaßnahmen in der Baudenkmalpflege konzipiert. Im Besonderen wird dieses Mal der Blick auf die „Alltagsaufgabe“ der denkmalpflegerischen Behandlung von Wohn- und Bürobauten gerichtet, den brandschutztechnisch sogenannten „Standardbauten“.

Der Ausgangspunkt ist bei unter Denkmalschutz stehenden Wohngebäuden natürlich zunächst ein Bestandsschutz, denn zum Zwecke dieser wurden sie errichtet und die Nutzung hat sich im Verlauf des Lebenszyklus nicht erheblich verändert. Doch inwieweit beeinflussen Veränderungen, z. B. hinsichtlich des Wohnungszuschnitts, oder die zunehmenden Risiken durch nachträgliche

Installationen in Büros die Gefährdungssituation und ziehen daher auch bauaufsichtliche Konsequenzen nach sich? Dieser Frage muss sich eine gewissenhafte Brandschutzplanung zuwenden. Außerdem gilt es nicht zu übersehen, dass statistisch gesehen etwa die Hälfte aller Brände in Wohngebäuden entsteht. Obwohl in Sonderbauten bei einem Brandereignis zumeist eine größere Personenanzahl einer Gefährdung unterworfen wäre und deshalb auch höhere bauaufsichtliche Anforderungen von vornherein bestehen, ist der Blick auf denkmalgeschützte Wohn- und Bürogebäude nicht zu vernachlässigen.

Das Problem liegt aber nicht in den üblichen Abweichungen bei Baudenkmalen gegenüber dem heutigen Bauordnungsrecht an sich, sondern im Bestimmen des angemessenen Umgangs damit. Häufige Unsicherheiten, was nun wie aus der Sicht des Brandschutzes nachträglich zu tun sei – zumal wenn keine bauordnungsrechtliche Genehmigungspflicht der geplanten Maßnahmen besteht –, sind der Beleg für die Unkenntnis mancher Beteiligter. Außerdem wird des Öfteren vergessen, dass trotz einer baupolizeilichen Genehmigungsfreiheit bei Baudenkmalen immer eine denkmalrechtliche Erlaubnis, auch für scheinbar marginale Änderungen an Bauteilen, benötigt wird, z. B. für die Nachrüstungen von bauzeitlich überlieferten Türen.

Während im ersten Grundlagenband zunächst auch umfangreich die juristischen Beziehungen zwischen Brand- und Denkmalschutz beleuchtet werden, widmet sich der zweite Band überwiegend praktischen Belangen des Erkennens von Abweichungen und Gefährdungssituationen auf der einen Seite und konkreten Details bei der Durchführung von Ertüchtigungen und Nachrüstungen bei den „Standardbauten“ auf der anderen. Auf die Grundlagen aufbauend werden konkrete Lösungsansätze vorgestellt und diskutiert. Diese mögen dabei helfen, Baudenkmale so bauzeitlich wie möglich an unsere Nachfahren weiterzugeben.

Gerd Geburtig

Ribnitz-Damgarten/Weimar, im August 2010

Autorenporträt

Gerd Geburtig, Jahrgang 1967.

1986–1991 Architekturstudium an der Hochschule für Architektur Bauwesen Weimar.

1991–1995 Wissenschaftlicher Mitarbeiter an der HAB Weimar.

Seit 1993 Inhaber der Planungsgruppe Geburtig, Architekten & Ingenieure.

Gastvorlesungen an der Bauhaus-Universität; Dozent EIPOS e.V., Bauhaus Akademie Schloss Ettersburg gGmbH, Deutsche Stiftung Denkmalschutz, Architekten- und Ingenieurkammer Mecklenburg-Vorpommern u.a. Fachbuchautor. Zahlreiche Veröffentlichungen in Fachzeitschriften.

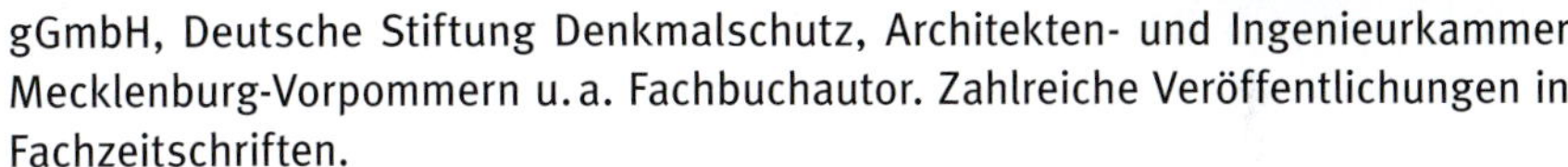

Von 2007 bis 2019 1. Vorsitzender der regionalen Gruppe der WTA e.V. in Deutschland und seit 2019 Referatsleiter Brandschutz in der Wissenschaftlich-Technischen Arbeitsgemeinschaft für Bauwerkserhaltung und Denkmalpflege e.V. (WTA)

Seit 2003 Mitglied im Deutschen Nationalkomitee von ICOMOS.

Seit 2006 Nachweisberechtigter für vorbeugenden Brandschutz in Thüringen und Hessen, Brandschutzplaner Mecklenburg-Vorpommern und Sachverständiger für Energieeffizienz von Gebäuden (EIPOS Dresden).

Seit 2007 Mitglied im NA 005-52-21 AA (Arbeitsausschuss Brandschutzingenieurverfahren) und seit 2018 im NA 005-52-04 AA (Arbeitsausschuss Brandverhalten von Baustoffen und Bauteilen – Klassifizierung (Katalog)) beim DIN.

2008 Promotion zum Dr.-Ing.

2008 Prüfingenieur für Brandschutz.

Seit 2014 Honorarprofessor Fachgebiet Brandschutz an der Bauhaus-Universität Weimar.

2020 Habilitation für das Fachgebiet „Vorbeugender Brandschutz“.

Inhaltsverzeichnis

1 Einführung

„Heutige Sicherheitsansprüche verträglich in historischen Gebäuden umzusetzen, ist schwierig. Dies kann nur geschehen, wenn von allgemeinen Standarten abgewichen und individuelle, schutzzielorientierte Konzepte erstellt werden. Ziel ist, wenige, aber notwendige Eingriffe konsequent zu verwirklichen und historisch wertvolle Substanz unverändert zu belassen.“ [1] Welche „Sicherheitsansprüche“ sind denn nun bei einem in Funktion und Gefüge weitgehend unveränderten Wohn- oder Bürogebäude als planerische Grundlage anzusetzen? Bei jedem Brandfall kann eine Brand- bzw. Rauchausbreitung sowohl zur Gefährdung von Personen als auch zu erheblichen Schäden an der geschützten Bausubstanz führen. Daher verfolgt ein angemessener Brandschutz auch das grundlegende Ziel der Denkmalpflege: **„Mit dem Worte Denkmalpflege werden die Bestrebungen zusammengefaßt, welche darauf gerichtet sind, die Erzeugnisse vergangener Kulturepochen der Gegenwart und Zukunft zu erhalten.“** [2]

Bild 1: Besprechungsraum in einem denkmalgeschützten Rathaus

Zu diesen „Bestrebungen“ zählt natürlich auch der vorbeugende Brandschutz, mit dem sich auftragsgemäß um die erforderlichen Maßnahmen zur Verhinderung eines Brandereignisses selbst und zur Verhinderung einer Brandausbreitung sowie zur Rettungswegsicherung bemüht wird. Diese Bemühungen stellen sich beim Baudenkmal aber als besonders anstrengend heraus, weil insbesondere bauliche Brandschutzmaßnahmen selten substanzschonend angeordnet werden können und damit in aller Regel nachteilig hinsichtlich des Denkmalschutzes wirken.

Unabhängig von der Bauart und der jeweiligen Gebäudeklasse eines Gebäudes müssen gemäß den Regelungen in den Landesbauordnungen einerseits die Brandausbreitung und andererseits die Brandgasausbreitung in Rettungswege einschließlich der Treppenräume für die Evakuierung von Personen sowie in die an den Brandherd angrenzenden Räume über vorgegebene Zeiträume verhindert werden. Denkmale stehen daher regelmäßig im Konflikt mit den heutigen Vorschriften des Brandschutzes.

Um bei Wohn- und Bürobauten sowohl Denkmal- als auch Brandschutz sinnvoll miteinander vereinbaren zu können, sind beide gleichrangig zu behandeln. Häufige Fragen treten dabei in der Praxis in dieser Form auf:

- Welche Änderungen gefährden grundlegend den Bestandsschutz?
- Inwieweit sind denkmalpflegerische Beeinträchtigungen zulässig?
- Welche vorhandenen Mängel können reale Gefahren nach sich ziehen ?
- Gibt es bauzeitliche Brandschutz-Vorschriften, die man bei der Bewertung heranziehen kann?
- Wie löse ich das jeweilige Detail einer Nachrüstung bzw. Ertüchtigung?
- Wie gehe ich mit abweichenden Rahmenbedingungen von aktuellen Herstellerrichtlinien um?

Dieser Band widmet sich daher ausgehend vom bauordnungsrechtlichen Anpassungsverlangen den konkreten brandschutztechnischen Belangen einer Gefährdungsanalyse und den daraus entstehenden erforderlichen Nachrüstungen. Er ist im direkten Zusammenhang als Folge des dort begonnenen Diskurses über geeignete brandschutztechnische Maßnahmen bei Baudenkmalen – dieses Mal werden vertiefend Wohn- und Bürobauten behandelt – zu verstehen, wobei auf die im ersten Band gewonnenen Erkenntnisse aufgebaut wird.

Beim Baudenkmal kann zwischen **„ereignisverhindernden“** und **„ausmaßmindernden“** Brandschutzmaßnahmen unterschieden werden. [3] Diese Begriffe sind geeignet, den Maßstab zwischen einer alltäglichen Sanierung und einer denkmalpflegerischen Behandlung zu unterscheiden. Während bei einer Sanierung durchaus die Belange des Brandschutzes im Vordergrund zu stehen haben und das Beseitigen konkreter Gefahrenquellen im Vordergrund zu stehen hat, gesellt sich beim Baudenkmal immer die weitgehende Begrenzung baulicher – und damit ausmaßbegrenzender – Maßnahmen beim Umgang mit dem Brandschutz dazu, damit dessen Identität gewahrt bleibt.

Dieses Bewahren kann nur angemessen gelingen, wenn auch als Wohn- oder Bürohäuser errichtete Baudenkmale eben nicht einem Neubau so weit angeglichen werden, bis diese zwar heutigen Regelungen des Brandschutzes genügen, aber unkenntlich gemacht worden sind, sondern wenn die Schutzziele des Brandschutzes angemessen differenziert werden. Während der Personenschutz natürlich in jedem Wohn- oder Bürohaus zu gewährleisten ist, steht der Sachschutz in zweiter Reihe. Maßgeblich ist auch bei Wohn- und Bürobauten – und nicht nur bei Museen oder anderen besonderen Baudenkmalen – ausschließlich der gesetzlich vorgeschriebene Mindestschutz.

Gültige Verordnungen zum Brandschutz sind sinnvoll, indem sie einen hohen Sicherheitsstandard festlegen. Wenn deren konsequente Durchsetzung jedoch zu erheblichen Beeinträchtigungen der schützenswerten Bausubstanz bis zur Zerstörung von Kulturdenkmalen führt, wurde das gleichwertige Schutzziel der Denkmalpflege verfehlt. Eine absolute Sicherheit vor Bränden ist ohnehin undenkbar; sie würde die Freiheit des Menschen einengen und wäre wirtschaftlich untragbar [4]; diese Erkenntnis sollte die Basis aller Be-strebungen einer Brandschutzplanung beim Baudenkmal sein, um überflüssige und nicht angemessene Brandschutzanforderungen zu vermeiden (s. Bilder 2 und 3).

Bild 2: Unbotmäßige Forderung: Diese historische Feuerschutztür sollte zunächst erneuert werden.

Bild 3: Maßvolle Ertüchtigung im Verlauf eines Rettungswegs (neuer Öffnungsabschluss)

Die Grundlagen einer maßvollen brandschutztechnischen Behandlung von Baudenkmalen wurden mittlerweile im Arbeitsheft 13 „Brandschutz im Baudenkmal" durch die Arbeitsgruppe Bautechnik der Vereinigung der Landesdenkmalpfleger in der Bundesrepublik Deutschland (VdL) unter Fachberatung durch den Autor zusammengestellt. [5] Diese Arbeitshilfe sollte unbedingt beim fachgerechten Umgang hinsichtlich des Brandschutzes bei Baudenkmalen angewendet werden.

Historische, bauzeitliche Dokumente und Brandschutzordnungen helfen, das Ausmaß heutiger nachträglicher Brandschutzmaßnahmen zu bestimmen, sie sind aber nicht mehr allein als ausreichende Garantie der Schutzziele anzusehen. Das bedeutet, ein Beharren auf dem Denkmalschutz muss dort enden, wo reale Gefahren für das Leben festzustellen sind. Das und in welchem Umfang die historischen Brandschutzregelungen, z. B. die Errichtungszeit eines denkmalgeschützten Wohngebäudes, heute noch berücksichtigt und angewendet werden können, sollen entsprechende Auszüge aus historischen Dokumenten des 19. und 20. Jahrhunderts in den Anhängen belegen.

Bild 4: Auch für Baudenkmale galten durchaus schon bauzeitliche Brandschutzbestimmungen.

2 Bestandsschutz und wesentliche Änderungen

2.1 Grundlagen des Bestandsschutzes und Gefahrbegriffe

Baudenkmale genießen zunächst stets Bestandsschutz. Dennoch haben diese – insbesondere bei einer geplanten Umnutzung – der aus brandschutztechnischer Sicht notwendigen Analyse realer Gefahren standzuhalten. Zwischen einer Bausanierung und einer denkmalpflegerischen Behandlung gibt es entscheidende Unterschiede, die im Grundlagenband „Brandschutz im Baudenkmal" ausführlicher diskutiert werden. [6] Fest steht jedoch, dass bei für Menschen und Tiere bzw. für die im Brandfall erforderlichen Rettungs- und Löscharbeiten festgestellten Gefahren zu handeln ist.

Der Bestandsschutz schützt eine Rechtsposition, die unabhängig von späteren Rechtsänderungen zu einem bestimmten Zeitpunkt rechtmäßig erworben wurde. [7] Das bedeutet, dass ein vorhandenes Gebäude, das nach dem früher gültigen Recht rechtmäßig errichtet wurde, aber dem heute gültigen Baurecht nicht mehr entspricht, erhalten und weiter genutzt werden darf. Der Grundrechtsschutz umfasst somit den Schutz einer Bebauung, die nach aktueller Gesetzeslage scheinbar illegal ist. Beim Bestandsschutz sind gleichsam der Baukörper und die Nutzung zu beachten. Eine grundlegende Voraussetzung für den Bestandsschutz ist, dass überhaupt eine funktionsfähige bauliche Anlage vorhanden ist. Ein Bestandsschutz rechtfertigt daher zunächst auch nicht den Abriss eines Bauwerkes und die Errichtung eines Ersatzneubaus. Somit kann der Bestandsschutz nur dazu dienen, das Gebäude in seinem bisherigen substanziellen Status zu erhalten. Eine bauliche Erweiterung und eine Funktionsänderung fallen daher nicht vordergründig unter den Bestandsschutz und bedürfen zumeist der Erteilung einer Baugenehmigung.

Der Bestandsschutz endet aber nicht schon mit der faktischen Beendigung der Nutzung, denn der Artikel 14 des Grundgesetzes **„räumt dem Berechtigten vielmehr zum Schutz des Vertrauens in den Fortbestand einer bisherigen Rechtsposition je nach konkreten Einzelumständen eine gewisse Zeitspanne ein, innerhalb derer der Bestandsschutz nachwirkt und noch Gelegenheit besteht, an den früheren Rechtszustand anzuknüpfen"**. [8] Dieser erlischt erst, wenn der Berechtigte erkennbar vom Bestandsschutz keinen Gebrauch mehr machen will. [9]

Bestandsschutz gilt auch für den Bauzustand eines Gebäudes, wenn es als Kulturdenkmal in den entsprechenden offiziellen Registraturen vermerkt ist. Das bedeutet, dass ein Baudenkmal auch in einem zerstörten Zustand, z. B. nach einer kriegerischen Auseinandersetzung – ein prägnantes Beispiel hierfür ist die Dresdner Frauenkirche –, Bestandsschutz genießt und der Anspruch auf eine Rekonstruktion grundsätzlich bestehen bleibt; damit liegt eine wesentliche Unterscheidung gegenüber einem normalen Sanierungsfall vor. Dieses „Privileg" kann man den Denkmalschutzgesetzen der Bundesländer, im Folgenden beispielhaft dem Denkmalschutzgesetz Berlin, entnehmen: **„Ist ein Denkmal ohne Genehmigung verändert und dadurch in seinem Denkmalwert gemindert worden oder ist es ganz oder teilweise beseitigt oder zerstört worden, so kann die zuständige Denkmalbehörde anordnen, dass derjenige, der die Veränderung, Beseitigung oder Zerstörung zu vertreten hat, den früheren Zustand wiederherstellt."** [10] Das Ganze gilt natürlich vorbehaltlich der dafür notwendigen denkmalrechtlichen Genehmigung.

Die Bedingungen für die Inanspruchnahme eines Bestandsschutzes sind demnach wie folgt zu benennen: Die bauliche Anlage wurde zu irgendeinem Zeitpunkt genehmigt oder sie war zumindest z. Z. ihrer Errichtung genehmigungsfähig oder sie wurde errichtet, ohne dass zum Zeitpunkt der Errichtung eine Baugenehmigung vorhanden war, die jedoch nach der damaligen Rechtslage hätte erteilt werden müssen, oder sie entstand auf der Grundlage einer Baugenehmigung, die jedoch nicht hätte erteilt werden dürfen und die nicht formell zurückgezogen wurde. Für ein Baudenkmal gibt es darüber hinaus den o. g. besonderen Maßstab.

Bild 5: Brandschutztechnische Gefährdungen sind beim Baudenkmalen oft verdeckt.

Trotz des Bestandsschutzes für Baudenkmale gilt stets auch aus denkmalpflegerischer Sicht: **„Bestandsschutz hört spätestens dort auf, wo Gefahren für Leben und Gesundheit bestehen“.** [11]

Mit den jeweiligen Landesbauordnungen wurden mittlerweile in beinahe allen Bundesländern die Gebäudeklassifikationen nach der Musterbauordnung eingeführt. Zudem wurde den aktuellen Regelungen der Musterbauordnung (MBO) und damit folgend sinngemäß auch den Landesbauordnungen im § 3 ein allgemeines Schutzziel vorangestellt: **„Anlagen sind so anzuordnen, zu errichten, zu ändern und instand zu halten, dass die öffentliche Sicherheit und Ordnung, insbesondere Leben, Gesundheit und die natürlichen Lebensgrundlagen, nicht gefährdet werden; ...“** [12]. Dieses grundsätzliche Ziel ist für den Umgang mit dem Brandschutz bei der Baudenkmalpflege von außerordentlicher Bedeutung, denn es ist dem folgend nicht zwingend notwendig, dass beim Baudenkmal jede Einzelvorschrift des Brandschutzes befolgt wird. Es ist „lediglich“ das sogenannte globale Schutzziel zu erreichen, um die geschützte Bausubstanz nur so wenig wie nötig zu beeinträchtigen. Es ist dazu beachtenswert, dass in § 85a (1) der MBO formuliert wurde: **„Die Anforderungen nach § 3 können durch Technische Baubestimmungen konkretisiert werden. Die Technischen Baubestimmungen sind zu beachten. Von den in den Technischen Baubestimmungen enthaltenen Planungs-, Bemessungs- und Ausführungsregelungen kann abgewichen werden, wenn mit einer anderen Lösung in gleichem Maße die Anforderungen erfüllt werden und in der Technischen Baubestimmung eine Abweichung nicht ausgeschlossen ist; ...“** [13]. Damit ist klargestellt, dass ein striktes Einhalten heutiger Normen und Vorschriften für die Baudenkmalpflege nicht geboten ist. Der Eigentümer bzw. von ihm beauftragte Planende hat aber stets den in § 3 Abs. 3 geforderten Nachweis der Gleichwertigkeit zu erbringen.

Bild 6: Brennbares Tragwerk hält ausreichend in einem Brandfall stand.

An dieser Stelle soll im Überblick näher auf den Begriff der Gefahr eingegangen werden. Es ist zwischen den juristischen Kategorien einer „konkreten", damit wird die reale bezeichnet, und einer „abstrakten" Gefahr, die mit der potenziellen identisch ist, zu unterscheiden. Die Letztere entsteht aus der Rechtsverletzung, einer Nichtübereinstimmung mit dem geltenden Recht. Eine konkrete (reale) Gefahr besteht aus juristischer Sicht immer dann, wenn mit der Schädigung von Leben und Gesundheit zu rechnen ist und diese mit hoher Wahrscheinlichkeit erwartet werden muss [14], sie liegt jedoch nicht schon vor, wenn ein **„Abweichen von Vorschriften, die der Sicherheit dienen"** [15] festgestellt wird. Die Einzelfallentscheidung über das Vorliegen einer realen Gefahr bedarf deswegen einer konkreten Gefährdungsanalyse, um festzustellen, ob im vorliegenden Fall eine erhebliche Gefahrensituation vorliegt. Nur so sind die tatsächlich vorhandenen **realen Gefahren** zu ermitteln, die entweder ein bauordnungsrechtliches Anpassungsverlangen begründen oder den Bestandsschutz zu Fall bringen.

Bei Baudenkmalen ist ein grundlegender Bestandteil der brandschutztechnischen Risikoanalyse das Aufspüren realer Gefahren. Im Anhang 6.1 ist eine

Checkliste abgedruckt, die zum Aufspüren realer Gefahren bei Baudenkmalen angewendet werden kann.

Siehe Anhang 6.1: Checkliste für brandschutztechnische Risikoanalyse

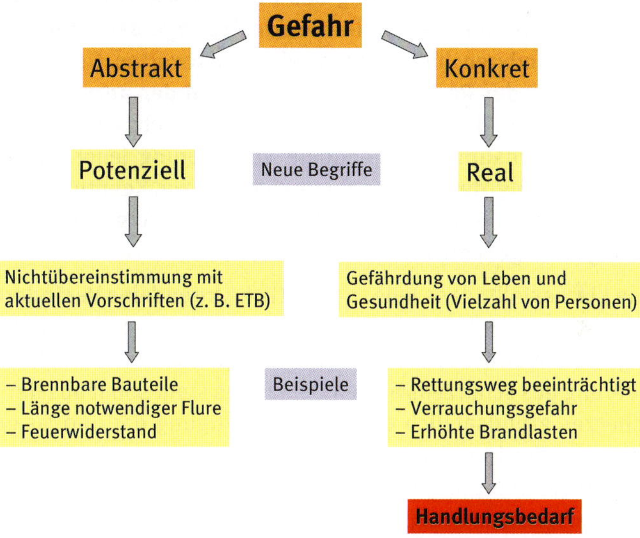

Bild 7: Unterscheidung zwischen realen und potenziellen Gefahren

2.2 Denkmalrechtliche Belange und Beeinträchtigungen

Als älteste Regelung, den Denkmalschutz im deutschsprachigen Raum betreffend, gilt die kurhessische „Verordnung, die Erhaltung der im Lande befindlichen Monumente und Altertümer betreffend" vom 22. 12. 1779. [16] Erst das Denkmalschutzgesetz des Hessischen Großherzogtums aus dem Jahre 1902 gab dem Deutschen Reich den entscheidenden Anstoß, den Denkmalschutz gesetzlich zu regeln. Die Relevanz denkmalpflegerischer Belange während eines Baugenehmigungsverfahrens gab es in Preußen – und damit für große Teile Deutschlands – erst nach dem 1. Weltkrieg mit dem Artikel 4 – Baupolizeiliche Vorschriften – des Wohnungsgesetzes vom 28. März 1918 [17]: **„Die Polizeibehörde durfte daher früher Gesichtspunkte der Denkmalpflege bei der Prüfung von Bauanträgen nicht mit in Betracht ziehen, insbesondere auch nicht eine nachgesuchte Baugenehmigung auf Anweisung des Regierungspräsidenten aus Denkmalsrücksichten versagen oder an Bedingungen knüpfen. Die Rechtslage hat sich seit Erlaß des Wohnungsgesetzes vom 28. März 1918 geändert, Art. 9 § 2 daselbst**

schreibt vor, daß bei der Aufstellung und Anwendung von Bauordnungen das Interesse des Denkmalschutzes zu berücksichtigen ist, Art. 4 § 1 Ziff. 4 daselbst daß durch Bauordnungen der Verputz, der Anstrich und der öffentlichen Verkehrsflächen aus sichtbaren Bauten, sowie die einheitliche Gestaltung des Straßenbildes unter Berücksichtigung des Denkmalschutzes geregelt werden kann. Zur Wahrung der Interessen der Denkmalspflege bei Veränderungen an Kirchen sowie an anderen historischen oder kunstwerten Gebäuden hat der Regierungspräsident das Recht, die Ortspolizeibehörden anzuweisen, daß alle Bauprojekte, welche auf Um- und Erweiterungsbauten, auf teilweisen oder gänzlichen Abbruch, überhaupt auf irgendeine Veränderung jener Bauwerke sich beziehen, vor Erteilung der Baugenehmigung ihm zur Kenntnisnahme eingereicht werden. Dann ev. Bericht an den Minister. Vor erfolgtem Bescheide darf zur Ausführung nicht geschritten werden." [18]

Damit wurde klargestellt, dass jede, namentlich **„irgendeine Veränderung jener Bauwerke"** der baupolizeilichen Genehmigungspflicht unterstellt wurde, die bis in die heutige denkmalrechtliche Genehmigungspraxis hineinwirkt. Jede vorgesehene Änderung des schützenswerten Bestandes stellt somit aus der Sicht des Denkmalschutzes grundsätzlich eine Beeinträchtigung dar und ist gegenüber ihrem jeweiligen Erfordernis abzuwägen. Über Beratungen ist man im Preußischen Abgeordnetenhaus in den 1920er Jahren aber nicht hinausgekommen und der Denkmalschutz in Preußen somit unvollendet geblieben. [19]

Bild 8: Beeinträchtigung – Leitung für Löschanlage und Rettungswegkennzeichnung – vertretbar

Bild 9: Ersetzen der bauzeitlichen Tür – zunächst geplant – wäre eine irreversible Maßnahme gewesen und war zu verhindern (Türnachrüstung).

Auch brandschutztechnische Maßnahmen haben sich bei Baudenkmalen an dem Begriff der „Reversibilität" messen zu lassen. H. Wirth bezeichnet Reversibilität („Umkehrbarkeit") als die **„Rückführung praktischer Maßnahmen auf den Zustand, bevor sie stattgefunden haben"; sie „ist von ‚Rückbau' ... zu unterscheiden: ... Reversibilität impliziert die Absicht nach ‚Rückbau' von vornherein.**" [20] Ob Malerei oder Baudenkmal: Das mögliche Wiederentfernen der nachträglich in ein Gefüge eingebrachten Materialien gilt für beides. Die Diskussion um den Begriff der „Reversibilität" wurde durch eine **„positivistische Technik- und Materialgläubigkeit"** [21] In Gang gesetzt, die wegen unbekannter Folgen neuartigen Materialeinsatzes bei Konservierungs-, Restaurierungs- oder Instandsetzungsarbeiten in der zweiten Hälfte des 20. Jahrhunderts zu immer größeren, irreversiblen Schäden an vielen bestehenden Bauwerken und sogar Baudenkmalen sowie deren Ausstattungen führte. Dieses Verhalten gipfelte – vor allem infolge brandschutztechnischen oder tragwerksplanerischen Unverständnisses hinsichtlich bestehender Konstruktionen – im gedankenlosen Austausch von hölzernen Bauelementen durch nichtbrennbare Konstruktionen. [22]

Weitergehende Ausführungen hinsichtlich der gebotenen Reversibilität können [23] entnommen werden.

Auf das Grundlagendokument der Baudenkmalpflege, die 1964 verabschiedete Charta von Venedig [24], wurde bereits im Grundlagenband seitens des Autors näher eingegangen (s. [25]), daher wird an dieser Stelle auf eine weiterführende Ausführung verzichtet und im Kap. 3.2 nur auf die Denkmalschutzgesetzgebung in Deutschland vertiefend eingegangen.

2.3 Wesentliche Änderungen und Umnutzungen

Es gilt, eine Vielzahl einschränkender oder gefährdender Bestandssituationen bei einer geplanten Nutzungsänderung bzw. wesentlichen Änderungen zu berücksichtigen. Indizien für wesentliche Änderungen oder Nutzungsänderungen bei denkmalgeschützten Büro- und Wohnbauten können u. a. sein:

- nachträglicher Dach- oder Souterraingeschossausbau
- Ausbildung von Maisonettewohnungen
- Ausbau von bestehenden Wohnungen zu Büroflächen
- Vergrößerung bestehender Nutzungseinheiten
- energetische Nachrüstungen
- erhebliche Grundrissveränderungen
- Veränderung der Rettungswegsituation
- Anbauten, z. B. für Aufzugsschächte
- Teilabbrüche, z. B. verschlissener Gebäudeteile.

Eine wesentliche Änderung liegt auf jeden Fall immer dann vor, **„wenn es sich um eine eingreifende, das Bauwerk umgestaltende Bauausführung handelt“**. [26] Die Genehmigungspflicht einer Baumaßnahme an sich kann ein Indiz für eine wesentliche Änderung sein, ist aber nicht zwingend. Der Unterschied zwischen einer Genehmigungspflicht und einer Genehmigungsfreiheit ist rechtlich nicht allein ausschlaggebend. [27]

Dass bei dieser Komplexität der Anforderungen dennoch Möglichkeiten substanzschonender Behandlungen gegeben sind, mag die Analyse ausgewählter Details im Kap. 5 belegen, die u. a. deutlich macht, dass Planende und Gutachter zu einem sehr frühen Zeitpunkt das gemeinsame Gespräch suchen müssen.

Bild 10: Der Treppenraum in einem ehemaligen Rathaus ist zu sichern, weil er zukünftig einer größeren Anzahl von Personen dient.

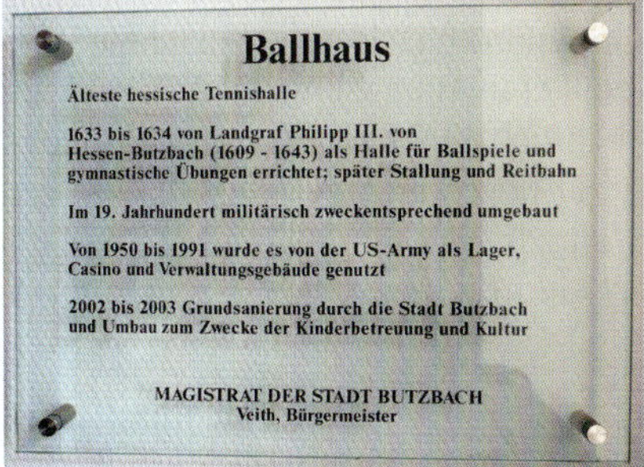

Bild 11: Wenn eine historische Tennishalle umgenutzt wird ...

Bild 12: ... sind die neuen 2. Rettungswege herzustellen.

Bild 13: Dachgeschossausbau zieht brandschutztechnische Konsequenzen nach sich (hier: zusätzlicher Tritt).

Wenn sich die Nutzung eines Baudenkmals ändert, ist grundsätzlich damit zu rechnen, dass dadurch nunmehr einem höheren brandschutztechnischen Standard entsprochen werden muss, da prinzipiell eine Anpassung an die neue Nutzung geboten ist. Weil die bauordnungsrechtlichen Vorschriften für die neue Nutzung häufig restriktivere Vorgaben als zur Errichtungszeit des denkmalgeschützten Gebäudes enthalten, ist der Umfang der gewollten Änderung und die Widersprüchlichkeit gegenüber den neuen Anforderungen genau zu analysieren.

Generell muss eine zeitgemäße brandschutztechnische Begutachtung eines Baudenkmals auf einem gebäude- und schutzzielorientierten Brandschutzkonzept in Ergänzung der geplanten Restaurierung oder der architektonischen Planungsabsicht zur Ermittlung des tatsächlich notwendigen vorbeugenden und abwehrenden Brandschutzes basieren. Ein besonders wichtiger Aspekt, der bei der Einschätzung des Gefahrenpotenzials zu beachten ist, z. B. bei der Planung zur Umnutzung eines als Wohnhaus errichteten Baudenkmals in ein Bürogebäude.

Bild 14: Teilweise zu einem Büro umgenutztes als Wohnbau errichtetes Gebäude

2.4 Anpassungsverlangen aus bauordnungsrechtlicher Sicht

Bereits im Jahre 1919 wurde in dem vom preußischen Staatskommissar für das Wohnungswesen erlassenen Entwurf einer Bauordnung (s. Kap. 3.1 und Anhang 6.3), die zunächst für größere Städte, deren Vororte und Landgemeinden mit stadtartiger Entwicklung galt [28], im § 35 zu vorhandenen baulichen Anlagen wie folgt ausgeführt:

(1) „Auf bauliche Anlagen, die zur Zeit ihrer Errichtung den damals gültigen baupolizeilichen Bestimmungen entsprachen [29], **und auf Bauten, die auf Grund genehmigter Bauentwürfe bereits begonnen sind** [30], **findet die nachträgliche Durchführung nicht etwa beobachteter Bestimmung dieser Bauordnung nur dann statt, wenn polizeiliche Gründe, insbesondere solche der öffentlichen Sicherheit, es notwendig machen.** [31]

(2) Für bauliche Arbeiten, welche einzeln oder zusammengenommen eine erhebliche Veränderung [32] **eines Gebäudes oder Gebäudeteils darstellen, kann** [33] **die Baugenehmigung auch davon abhängig gemacht werden, daß gleichzeitig die durch den Entwurf an sich nicht berührten Gebäude und Gebäudeteile, soweit sie den Vorschriften dieser Bauordnung widersprechen, mit dieser in Übereinstimmung gebracht werden."** [34]

Interessant zur Rechtmäßigkeit eines bauordnungsrechtlichen Anpassungsverlangens ist zudem die heutige Formulierung des § 81 Abs. 1 Satz 1 der Bauordnung für Berlin, die lautet: **„Rechtmäßig bestehende bauliche Anlagen sind, soweit sie nicht den Vorschriften dieses Gesetzes oder den auf Grund dieses Gesetzes erlassenen Vorschriften genügen, mindestens in dem Zustand zu erhalten, der den bei ihrer Errichtung geltenden Vorschriften entspricht.“** [35] Damit ist prinzipiell klargestellt, dass zunächst für alle rechtmäßig bestehenden baulichen Anlagen – und davon ist bei einem Baudenkmal regelmäßig auszugehen – der Bestandsschutz gilt und es auf die bauzeitlichen Vorschriften ankommt. Daher ist es auch generell sinnvoll, sich mit den zur Errichtungszeit geltenden Regelungen zu beschäftigen und die brandschutztechnische Beurteilung auf diese zurückzuführen.

Mittlerweile ist auch eine sich weiterentwickelnde Rechtsprechung zur Auslegung des Bestandsschutzes zu beobachten. Hinsichtlich erforderlicher Abweichungen von aktuellen bauordnungsrechtlichen Vorschriften lautet einer der Grundsätze des Beschlusses vom 12. September 2008 (3 L 18/02 – VG Schwerin) des Oberverwaltungsgerichtes Mecklenburg-Vorpommern wie folgt: **„Im Rahmen der Ermessensentscheidung über bauordnungsrechtliches Einschreiten sind die Wertungen zu berücksichtigen, die der Gesetzgeber namentlich den brandschutztechnischen Vorschriften und der Neukonzeption der Abweichung (§ 67 LBauO M-V) zugrunde gelegt hat. Daher hat die Behörde auch ohne ausdrücklichen Antrag zu prüfen, ob die Erreichung des jeweiligen Schutzziels, für den die Vorschrift nur einen Weg von mehreren möglichen weist, auf andere, für den Betroffenen mildere Weise zu erreichen ist.“** [36]

Nach aktueller Auffassung der Gerichte ist die **„fachkundige Feststellung, dass nach den örtlichen Gegebenheiten der Eintritt eines erheblichen Schadens nicht unwahrscheinlich ist“** [37] erforderlich, um ein bauordnungsrechtliches Anpassungsverlangen begründen zu können. Unabhängig davon jedoch, ob eine Umnutzung, neue Anforderungen an bereits bestehende Nutzungen oder ein Anpassungsverlangen vorliegt, das durch die Analyse realer Gefahren bestätigt wird, ergeben sich dadurch brandschutztechnische Maßnahmen, die zum Erreichen der Schutzziele durchzusetzen sind.

Insbesondere vor dem Hintergrund gegenwärtiger heftiger Diskussionen über gesellschaftliche Risikoeinschätzungen sei dazu angemerkt, dass es durchaus auch ein Ziel der Gesellschaft ist, die brandschutztechnischen Risiken weiter zu optimieren, um Todesopfer bei Bränden vermeiden zu können. Eine solche Optimierung ist aber nur zulässig, insoweit die Grenzen nicht verletzt werden, die uns die allgemeine Gerechtigkeit – zu der auch der Denkmalschutz zu zählen ist – setzt. In dieser Hinsicht soll an dieser Stelle Prof. Julian Nida-Rümelin allgemeingültig zu Wort kommen: **„Am Ende müssen wir uns auf eine Risikopraxis verständigen, die niemanden diskriminiert und instrumentalisiert, die Individualrechte und Gerechtigkeitsprinzipien nicht verletzt, die, mit anderen Worten, für alle akzeptabel ist.“** [38]

Bild 15: Berechtigtes Anpassungsverlangen (Rettungsweg gefährdet)

Bild 16: Ein Anpassungsverlangen (hölzerne Treppe) ist an dieser Stelle nicht gerechtfertigt.

3 Bauordnungsrechtliche Anforderungen an Wohn- und Bürobauten

3.1 Historische bauordnungsrechtliche Regelungen

Schon seit längerer Zeit existiert im deutschsprachigen Raum eine Vielzahl unterschiedlicher lokaler Bau- bzw. Brandschutzvorschriften. Auf der Grundlage dieser wurden – insbesondere in den immer größer werdenden Städten mit Berufsfeuerwehren – in der zweiten Hälfte des 19. Jahrhunderts moderne baupolizeiliche Ordnungen geschaffen, die den heutigen Landesbauordnungen schon sehr ähneln. Diese regelten in **„gesundheits-, sicherheits- und feuerpolizeilicher Hinsicht“** [39] die Fürsorge **„für gesunde und helle Wohn- und Arbeitsräume“** [40] – ein Hinweis für die Gültigkeit der Verordnung auch für Büros im heutigen Sprachgebrauch. Als Beispiel soll an dieser Stelle die am 15. August 1897 in Kraft gesetzte Baupolizeiordnung für den Stadtkreis Berlin erörtert werden. In dieser werden in den §§ 6 bis 16 Bestimmungen zur Konstruktion, zu den Baustoffen und zur Ausführung von Bauteilen vorgegeben, die bei der Errichtung von Neubauten zu befolgen waren.

Siehe Anhang 6.2: Auszug aus der Baupolizeiordnung für den Stadtkreis Berlin vom 15. August 1897, §§ 6 bis 12, 15 und 16

Den Versuch einer Vereinheitlichung der 300 allein in Preußen um die Jahrhundertwende vom 19. zum 20. Jahrhundert bestehenden Bauordnungen, die gewissermaßen jeden Gegenstand in zahlreichen Einzelbestimmungen regelten, unternahm mit der Herausgabe des Entwurfs einer Bauordnung am 25. April 1919 der preußische Staatskommissar für das Wohnungswesen. [41] **„Der Entwurf will formell die Einheitlichkeit der Bauordnungsvorschriften in der Anordnung des Stoffes erreichen, um ein schnelles Zurechtfinden in fremden Bauordnungen zu ermöglichen. Materiell stellt der Entwurf das Bauordnungswesen Preußens im Anschluß an die Vorschriften des Artikel 4 des Wohnungsgesetzes vom 28. März 1918 auf neue Grundlagen. Seine Vorschriften sind auf den Kleinwohnungsbau zugeschnitten, der die Regel der Wohnungsherstellung bilden soll. Im ernsten Anschluß an diesem Entwurf sind überall Bauordnungen erlassen worden. Mit der Einführung des Entwurfs in ganz Preußen ist ein guter Schritt vorwärts zu einem einheitlichen Baurecht in Preußen getan.“** bemerkte im Jahre 1934 in seinem Grundlagenwerk zum preußischen Baupolizeirecht F. W. Fischer. [42] Mit dem Erlass waren die Städte, Landgemeinden mit stadtartiger Entwicklung und Vororte größerer Städte angehalten, bei der Herausgabe neuer Bauordnungen den Entwurf einer Bauordnung als Grundlage zu nutzen. Dieser Entwurf bestimmte somit seitdem die Bauordnungen der preußischen

Provinzen bzw. Städte und bildet auch heute noch das Rückgrat der aktuellen Musterbauordnung für die Bundesrepublik Deutschland.

Gegliedert in die Abschnitte Geschäftliche Bestimmungen (Form-Bauvorschriften), Bauvorschriften, Schutzmaßregeln, Abbruch und Allgemeine Bestimmungen regelte der vorgenannte Entwurf einer Einheitsbauordnung zum ersten Mal für Wohngebäude (und im übertragenen Sinne auch für Bürogebäude, für die zum Zeitpunkt der Erstellung des Entwurfs noch keine besonderen Bestimmungen unterschieden wurden) vereinheitlichend das Baurecht und wurde in den preußischen Provinzen auch in vergleichbarer Art und Weise durchgesetzt. [43]

Siehe Anhang 6.3: Entwurf einer Bauordnung vom 25. April 1919

Baupolizeiliche Bestimmungen für besondere Arten baulicher Anlagen erfolgten in gesonderten baupolizeilichen Grundsätzen, Vorschriften, Bestimmungen oder Polizeiverordnungen. Zu Beginn der 1930er Jahre gab es neben den Regelungen für den Wohnungsbau durch die jeweilige lokale Bauordnung auf der Grundlage des o. g. Entwurfs einer Einheitsbauordnung u. a. für Sprengstofflager, Garagen, Tankstellen, Kirchen, Kranken-, Gast-, Logier- und Warenhäuser, Lichtspieltheater, Theatergebäude, gewerbliche Werk- und Lagerstätten, Schlachthäuser und Bäckereien zusätzliche Verordnungen oder Vorschriften; gesonderte Bestimmungen für Büros jedoch nicht. Daher ist es legitim, auch für denkmalgeschützte Bürobauten auf die konkrete Bauordnung zurückzugreifen, die zum Errichtungszeitpunkt galt, um den jeweiligen, zunächst übergreifend geltenden Bestandsschutz für den Einzelfall zu attestieren, unabhängig von der zusätzlich zu ermittelnden Gefahrenlage. Weitergehende Ausführungen zu der Einheitsbauordnung und Auszüge aus derselben können [44] entnommen werden.

3.2 Landesbauordnungen versus Denkmalschutzgesetze

Die gesetzlichen Vorschriften für den vorbeugenden baulichen Brandschutz von Wohn- und Bürogebäuden befinden sich in Deutschland in den Landesbauordnungen. Die jeweiligen zu beachtenden technischen Vorschriften werden in den vom zuständigen Landesministerium veröffentlichten „Eingeführten Technischen Baubestimmungen“ veröffentlicht.

Namentlich in der Baudenkmalpflege sollte das brandschutztechnische Ziel nicht im Maximum technischer Möglichkeiten bestehen, sondern nach Erstellung eines gebäudeorientierten Brandschutzkonzeptes das brandschutztechnisch notwendige Maß sein und zur Durchsetzung des nur sicherheitstechnisch Unverzichtbaren führen. [45] Dieses Ziel wird in der alltäglichen Praxis jedoch nur auf der Grundlage einer geeigneten Beurteilung des Bestandes zu erreichen sein, um die Forderung nach der ausreichenden Brandsicherheit zu erfüllen.

Im Bundesland Berlin heißt es in § 1 (1) des Denkmalschutzgesetzes (DSchG Bln), an dieser Stelle stellvertretend für ähnlich lautende Formulierungen auch in den Denkmalschutzgesetzen der anderen Bundesländer: **„Es ist Aufgabe von Denkmalpflege und Denkmalschutz, Denkmale nach Maßgabe dieses Gesetzes zu schützen, zu erhalten, zu pflegen und wissenschaftlich zu erforschen und den Denkmalgedanken und das Wissen über Denkmale zu verbreiten.“** [46] Weiter heißt es: **„Die Belange des Denkmalschutzes und der Denkmalpflege sind in die städtebauliche Entwicklung, Landespflege und Landesplanung einzubeziehen und bei öffentlichen Planungen und Maßnahmen angemessen zu berücksichtigen.“** [47]

Im § 12 DSchG Bln wird die Genehmigungspflicht vorgesehener Maßnahmen geregelt, unabhängig davon, ob es sich um einen privaten oder öffentlichen „Verfügungsberechtigten“ handelt. So sind alle Maßnahmen denkmalrechtlich zu genehmigen, die ein Denkmal in seinem Erscheinungsbild verändern, seinen vollständigen bzw. teilweisen Abbruch zum Ziel haben, eine Änderung seines Stand- bzw. Aufbewahrungsortes oder die Instandsetzung bzw. Wiederherstellung des Denkmals vorsehen.

Die Hoheitlichkeit von Denkmalschutz und Denkmalpflege wird dabei ausdrücklich nur im Thüringer Denkmalschutzgesetz besonders hervorgehoben [48], was zwar auch in allen anderen Bundesländern gleichermaßen gilt, aber vielleicht wegen der fehlenden Benennung im Gesetz in mancher Brandschutzdienststelle nicht vollumfänglich bekannt zu sein scheint. Damit sind die im Denkmalschutzgesetz benannten Aufgaben mit denen des Bauordnungsrechtes in Deutschland gleichgestellt; dementsprechend sind die jeweiligen Schutzziele bei einer Verwaltungsentscheidung gleichermaßen zu berücksichtigen, was einer handelnden Bauordnungsbehörde nicht immer leichtfällt. Um zu einem Einvernehmen zu gelangen, ist es deswegen für jeden Einzelfall erforderlich, die jeweiligen Schutzinteressen zu gewichten und abzuwägen; als Ziel sollte dennoch stets eine ganzheitliche Lösung angestrebt werden, der alle Beteiligten zustimmen können.

Im Jahre 1997 veröffentlichte die Vereinigung der Landesdenkmalpfleger in der Bundesrepublik Deutschland (VdL) erstmals ein Arbeitsblatt zu Fragen des Brandschutzes mit dem Titel „Brandschutz bei Baudenkmälern“ (Arbeitsblatt 13). [49] Mit diesem Arbeitsblatt wurde dem gemeinsamen Interesse des Brandschutzes und des Denkmalschutzes bei der Abwehr von Bränden Ausdruck verliehen. In der Präambel wurde deshalb der Schrift vorangestellt: **„Brandschutz hat auch die Aufgabe, Schäden an Denkmälern [Denkmalen] zu**

verhindern.“ [50] Zwischenzeitlich erheblich überarbeitet, nimmt das nunmehrige Arbeitsheft 13 der VdL hinsichtlich eines angemessenen vorbeugenden Brandschutzes in der Baudenkmalpflege zu den Anforderungen des Brandschutzes, zu Aspekten des Bestandsschutzes und dessen Grenzen, zur Zulässigkeit von Abweichungen, zu Nutzungen sowie zu sinnvollen brandschutztechnischen Maßnahmen Stellung und gibt Hinweise zur Entwicklung von Brandschutzkonzepten für Baudenkmale. Außerdem werden Hilfestellungen für die Beurteilung der brandschutztechnischen Leistungsfähigkeit historischer Bauteile gegeben. [51]

Als Grundlagenpapier für einen sinnvollen Umgang mit dem Brandschutz bei Baudenkmalen dienend, bildet das Arbeitsheft die Grundlage für eine angemessene Ausgewogenheit zwischen den Schutzzielen des Denkmalschutzes auf der einen sowie des Brandschutzes auf der anderen Seite und darf bei keiner Brandschutzplanung für ein Baudenkmal fehlen.

3.3 Hinweise zur Rechtslage

Gemäß den aktuellen Hinweisen zur Rechtslage hinsichtlich der Brandschutzanforderungen an bestehende Gebäude des Thüringer Ministeriums für Infrastruktur und Landwirtschaft ist auch beim Durchbrechen eines Bestandsschutzes **„nicht zwingend eine Anpassung an die für einen Neubau geltenden Vorschriften erforderlich. Ausreichend kann eine ‚Annäherung‘ an das aktuelle Recht sein“.** [52] Diese Feststellung ist zwangsläufig für Baudenkmale von besonderer Bedeutung, weil eine Anpassung an die aktuellen Neubauvorschriften in häufigen Fällen mit dem Verlust der bauzeitlichen Substanz und damit auch mit einem Verlust der überlieferten Authentizität des Baudenkmals verbunden ist. Darüber hinaus wird in den Hinweisen ausgesagt, **„dass wesentliche Änderungen nicht automatisch zum Erlöschen des Bestandsschutzes für die gesamte bauliche Anlage führen müssen, sondern zunächst nur Voraussetzung dafür sind, die Erforderlichkeit eines Anpassungsverlangens zu prüfen“.** [53] Diese Überprüfung muss sachgerecht auch in Würdigung und Abwägung der gleichermaßen durch die Gesellschaft beschlossenen Schutzziele des Denkmalschutzes erfolgen.

Der Bezug auf die vorgenannten Hinweise zur Rechtslage ist deswegen auch bei aus bauordnungsrechtlicher Sicht wesentlichen Änderungen zu empfehlen. Dazu der Hinweis am Rande: Auch wenn diese Hinweise durch ein Thüringer Ministerium veröffentlicht wurden, so gelten diese im gesamten Bundesgebiet, denn die Basis dieser ist Artikel 14 des Grundgesetzes. [54]

3.4 Gefahrenanalyse und Brandverhütungsschau

Um den geeigneten Umgang mit dem Brandschutz eines unter Denkmalschutz stehenden Wohn- oder Bürogebäudes ermitteln zu können, ist es im ersten Planungsschritt unbedingt erforderlich, eine präzise Gefahrenanalyse vorzunehmen. In durchzuführenden Ortsterminen, ohne die eine sachgerechte Beurteilung eigentlich unmöglich erscheint, ist zudem der erforderliche Umfang von ggf. zu entnehmenden Materialproben etc. festzulegen, da nicht alle Konstruktionen zerstörungsfrei ausschließlich sicher beurteilt werden können. Die Auswertung der Ortstermine lohnt es sich visuell in Übersichtsplänen mit Eintragung der festgestellten Mängel bzw. Gefahren darzustellen, denn damit können sowohl der Bauherrenschaft als auch der zuständigen Denkmalschutzbehörde die Ergebnisse der Analyse plausibel erläutert werden. Außerdem lässt sich anhand der konkreten Gefahrenanalyse der entsprechende Handlungsbedarf nach Prioritäten bzw. in Abhängigkeit vom Nutzungswillen systematisieren.

Eine besondere Form der Gefahrenanalyse stellt das Durchführen regelmäßiger Gefahrenverhütungsschauen dar. Im Rahmen dieser nehmen die Länder ihre Verpflichtung zur Wirksamkeit vorbeugender und abwehrender Maßnahmen gegen Brände und Brandgefahren (Brandschutz) wahr. Mit den Brand- und Katastrophenschutzgesetzen oder gesonderten Verordnungen über die Organisation und Durchführung von Gefahrenverhütungsschauen der Länder wird das jeweilige Prozedere der von den Brandschutzdienststellen vorzunehmenden Gefahrenverhütungsschauen geregelt. Im Bundesland Hessen beispielsweise regelt die Verordnung über die Organisation und Durchführung der Gefahrenverhütungsschau (Gefahrenverhütungsschauverordnung – GVSVO) [55] das entsprechende Erfordernis einer durchzuführenden Besichtigung. In Hessen wurde zu der vorgenannten Verordnung eine Anlage entwickelt, in der die innerhalb einer Zeit von höchstens fünf Jahren einer Besichtigung unterliegenden Objekte aufgelistet wurden. [56] Zu diesen Objekten zählen auch **„Gebäude mit mehr als 1 600 m^2 Grundfläche des Geschosses mit der größten Ausdehnung, ausgenommen Wohngebäude“** sowie **„Sonstige bauliche Anlagen oder Räume, durch deren besondere Art oder Nutzung ... wertvolles Kulturgut gefährdet wird ...“**, für die in der Regel alle fünf Jahre eine Gefahrenverhütungsschau durchzuführen ist. [57] Damit können zumindest größere Bürogebäude, aber durchaus auch im Einzelfall unter Denkmalschutz befindliche Wohnbauten, von dieser Verpflichtung betroffen sein.

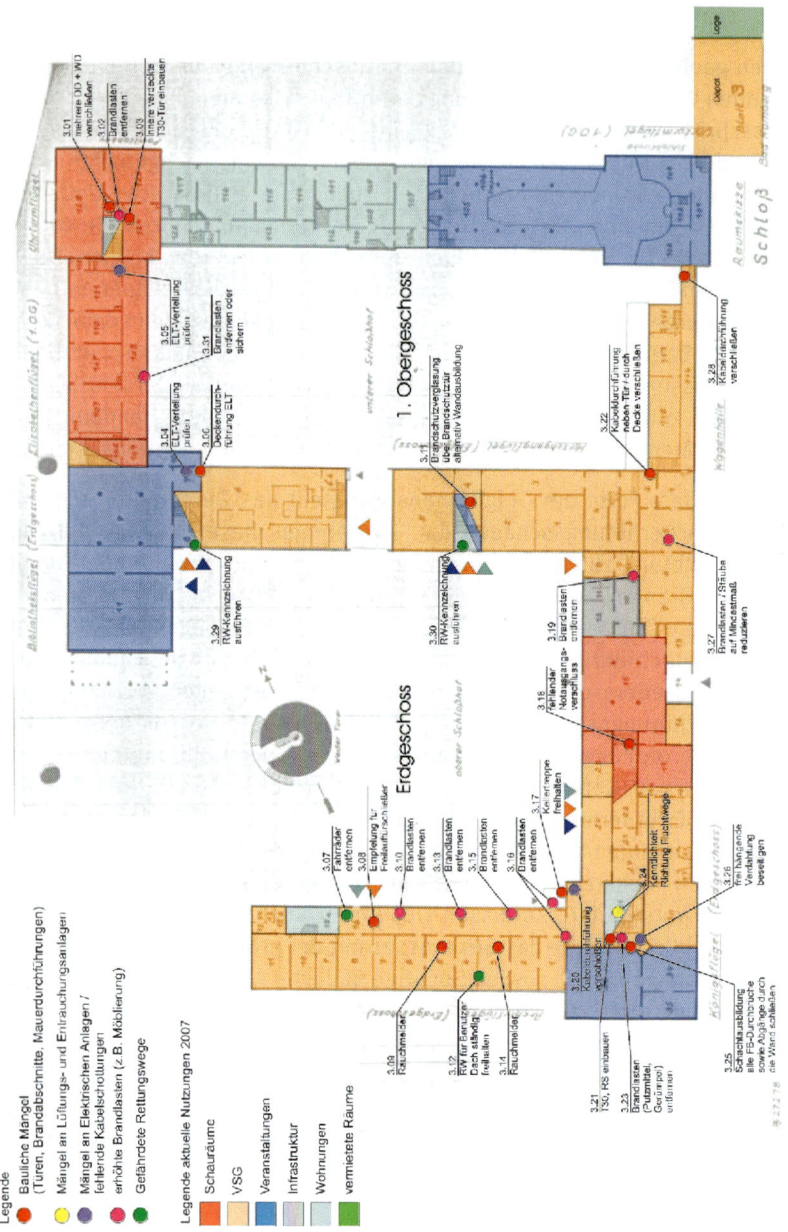

Bild 17: Visualisierung im Rahmen einer Gefahrenanalyse

Wenn Gefahr im Verzug sein sollte, kann eine Gefahrenverhütungsschau jederzeit anberaumt werden, üblich ist jedoch eine Anmeldefrist von mindestens zehn Arbeitstagen. Die Schau ist wiederkehrend alle fünf Jahre durchzuführen. Auch davon kann abgewichen werden, sollte sich der begründete Verdacht der Gefahr im Verzug einstellen. Ziel einer Gefahrenverhütungsschau ist es, dass Mängel festgestellt werden, die Gefahren verursachen. Deren Behebung ist anzuordnen und zu überwachen. Zur Beseitigung der festgestellten Mängel ist eine Frist zu setzen. Den Verpflichteten und den an der Gefahrenverhütungsschau Beteiligten oder den nach dem Ergebnis betroffenen Stellen ist unverzüglich nach der durchgeführten Gefahrenverhütungsschau eine Ausfertigung der entsprechenden Anordnung zu übergeben.

Nicht selten entbrennt aber über das Ergebnis einer durchgeführten Gefahrenverhütungsschau, über das, was unbedingt notwendig und was übertriebene, optimierende Maßnahmen seien, im Nachgang ein Streit, besonders dann, wenn sich die eine oder andere Forderung nach genauerer Analyse als entweder nicht durchführbar oder zu kostspielig erweist. Dazu ist die Beachtung eines grundlegenden Urteils über die Grenzen eines bauordnungsrechtlichen Anpassungsverlangens von besonderem Interesse. Die Leitsätze eines Gerichtsurteils des Oberverwaltungsgerichtes Hamburg zum baulichen Brandschutz lauten demnach, dass eine Anpassung bestehender baulicher Anlagen an die Anforderungen der geltenden Hamburgischen Bauordnung voraussetzt, dass dies zur Abwehr einer konkreten Gefahr notwendig ist. Auch bei dem Brandschutz dienenden Maßnahmen reicht es eben nicht aus, dass der Brandschutz im Sinne einer Gefahrenvorsorge nur optimiert wird. Weiterhin wurde festgestellt, dass durch eine Anpassung entschädigungslos in den legalen Bestand eingegriffen wird und deswegen an die Notwendigkeit der Maßnahmen hohe Anforderungen zu stellen sind. [58]

Damit ist klar, es kann nicht alles und jedes, was in aktuellen Regelungen für neue Wohn- und Bürobauten nach der jeweiligen Landesbauordnung gilt, nachträglich gefordert werden, sondern der Beurteilungsmaßstab ist der einer vorhandenen realen Gefahr. Es ist daher allen unkundigen Bauherren zu empfehlen, sich bei der Durchführung einer Gefahrenverhütungsschau eines geeigneten Brandschutzsachverständigen zu bedienen, der für ihn an dieser teilnimmt und das fachliche Gespräch führt. Nicht selten sind es insbesondere unkundige Bauherren oder Bauherrenvertreter, die das fachliche Gespräch während der Gefahrenverhütungsschau nicht führen können und deswegen im Ergebnis sogar übertriebene Anforderungen festgelegt werden.

Bild 18: Während einer Brandverhütungsschau festgestellte Gefährdungen (I): Leitungsabschottung fehlt in einer Trennwand

Bild 19: Während einer Brandverhütungsschau festgestellte Gefährdungen (II): Tür als Abschluss eines Lagerraumes zum Treppenraum ungeeignet

Wegen des in Deutschland auf beiden Seiten üblichen Blicks – sowohl der behördlichen Vertreter als auch der Planer – auf die für Neubauten gedachten Regelungen in den Landesbauordnungen auf der Basis derzeit gültiger Normungen, ebenfalls geschrieben für Neubauten, entsteht häufig bereits in der frühen Konzeptionsphase eine in vielerlei Hinsicht schwer lösbare Konfliktsituation. Bei stringentem Einhalten der Vorschriften ist das Konzept in den brandschutztechnischen Belangen zügig konfliktfrei erstellt, aber das Bauwerk leidet; bei extremen Abweichungen drohen erhöhte zeitliche Aufwendungen, die selten finanziert werden, und zudem zivilrechtliche, oft erst in der Zukunft auftretende Ärgernisse. Die konkreten Betrachtungen von alternativen, besonders in zivilrechtlicher Hinsicht nicht immer sicheren Bauteilbeurteilungen und die gezielte Diskussion über geeignete Rettungswegkonzeptionen und besondere anlagentechnische Anforderungen sind in der Regel aber mehr geeignet als für das Baudenkmal schädliche bauliche Nachrüstungen. Diese sollen nur für unvermeidbare Gefahrensituationen den Brandschutz bestimmen.

3.5 Ausreichende Brandsicherheit als Beurteilungsmaßstab

Um den notwendigen Handlungsbedarf in brandschutztechnischer Hinsicht konkret feststellen zu können, ist eine detaillierte Analyse der tatsächlich vorhandenen Brandsicherheit erforderlich. Als wichtige zu beurteilende Komponenten der Brandsicherheit bei denkmalgeschützten Wohn- und Bürogebäuden sind folgende zu benennen:

- Lage und Umfeld der baulichen Anlagen
- Gliederung der Gebäude
- Rettungswegesituation
- Branderkennung und Alarmierung
- vorhandene besondere Brandlasten oder Brandgefahren
- Brandentstehungsrisiko, z. B. aufgrund nachträglicher Installationen
- organisatorische Voraussetzungen
- Wirksamkeit der jeweiligen Feuerwehr, z. B. Möglichkeit der Anleiterung.

Bild 20: Abweichungen hinsichtlich unterschreitender Gebäudeabstände sind zu analysieren.

Bild 21: Nachträgliche Installationen in einem Treppenraum bewirken Verrauchungsgefahr.

Bild 22: Mögliche Anleiterung ist vor Ort zu überprüfen.

Bild 23: Leistungsfähigkeit brennbarer Bauteile ist zu beurteilen.

Bild 24: Wirksamkeit vorhandener Türen, insbesondere Kellerabschlüsse, sind zu überprüfen.

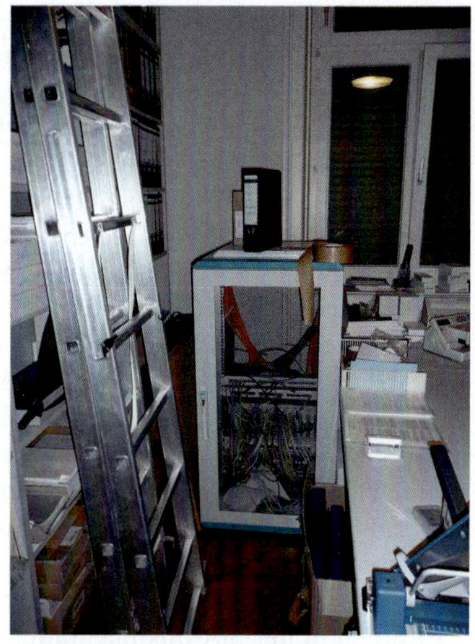

Bild 25: Umnutzungen sind zu bewerten.

Bild 26: Größe von Rettungsfenstern ist festzustellen.

Auf der Basis der ermittelten Fakten kann anschließend die ausreichende Brandsicherheit eines Bauwerkes oder eines Brandabschnittes bestimmt werden. Diese ist gemäß der mittlerweile zurückgezogenen SIA-Dokumentation 81 der Zustand, **„wenn das vorhandene Brandrisiko ein akzeptiertes Brandrisiko nicht übersteigt“**. [59] Im Jahre 1984 erschien in der Schweiz eine überarbeitete, vergleichende Rechenmethode unter dem Titel „Brandrisikobewertung – Berechnungsverfahren“, welche als SIA-Dokumentation 81 vom Schweizerischen Ingenieur- und Architektenverein (SIA), von der Vereinigung Kantonaler Feuerversicherungen (VKF) und vom Brand-Verhütungs-Dienst für Industrie und Gewerbe gemeinsam herausgegeben wurde. Eine derartige individuelle Brandrisikobewertung ist im übertragenen Sinne als Arbeitsweise auch für Baudenkmale geeignet und kann der Überprüfung von Brandschutzanforderungen für diese dienen. In Abhängigkeit von detaillierten Angaben zur Brandbelastung, zu realen oder potenziellen Gefahren, zu geplanten Brandschutzmaßnahmen und zur jeweiligen vorhandenen Baukonstruktion, für die jeweils vielfältige Varianten wählbar und zulässig sind, können Aussagen zum effektiven Brandrisiko sowie zum Gefährdungsgrad und zur Brandsicherheit getroffen werden. Es wurden in der SIA-Dokumentation 81 auch Bewertungskriterien und Kenngrößen an Stelle von standardisierten Bauteilvorgaben mit vielfältigen Kombinationsmöglichkeiten der die Brandsicherheit beeinflussenden Kenngrößen vorgeschlagen. [60] Mittlerweile traten an die Stelle der SIA-Dokumentation 81 die Brandschutznorm und die Brandschutzerläuterungen der VKF [61].

Bild 27: Kann der geplante Dachgeschossausbau unter den vorhandenen Randbedingungen erfolgen?

Bild 28: Sind die bauzeitliche (1905) Treppe und der Treppenraum hinreichend sicher?

Bild 29: Können die Türen verbleiben?

Die Bilder 27 bis 29 zeigen beispielhaft drei wesentliche Fragestellungen, die während einer brandschutztechnischen Risikoanalyse vor der denkmalpflegerischen Behandlung eines Wohn- und Bürohauses zu beantworten waren. Der Individualität und der Nutzungsintensität des jeweiligen Baudenkmals geschuldet, sind oftmals unterschiedliche brandschutztechnische Risiken zu erfassen und zu beschreiben. In Auswertung der Risikoanalyse sind für den Einzelfall erforderliche brandschutztechnische Maßnahmen zu ermitteln und durchzusetzen.

4 Wesentliche Mängel bei denkmalgeschützten Wohn- und Bürogebäuden

4.1 Ermittlung brandschutztechnischer Mängel in Wohngebäuden

Bei der Risikoanalyse von denkmalgeschützten Wohngebäuden ist unbedingt auf die Details zu achten. Die häufig lediglich nur formalen Abweichungen hinsichtlich der heutzutage geforderten Feuerwiderstände von Bauteilen sind eher von geringerer Bedeutung und stehen (leider) immer noch viel zu häufig sowohl im Blick der Brandschutzplanung als auch der Genehmigungsbehörden. Viel wichtiger dagegen ist es, auf die konsequente Führung der Rettungswege, unsachgemäße Leitungsverlegungen, die brandschutztechnische Leistungsfähigkeit von Dachraum- oder Kellerabschlüssen oder das Vorhandensein von Möglichkeiten der Rauchableitung zu achten.

Tabelle 1: Beispiele für übliche Mängel in denkmalgeschützten Wohngebäuden

Lfd. Nr.	**Beispiel**	**Kurzbeschreibung** **Gefahr/Geeigneter Umgang bzw. mögliche Behebung**
1		Geringe Abstände in historisch gewachsenen Innenstädten • Gefahr eines Brandüberschlages • Innere brandschutztechnische Bekleidung vornehmen

Lfd. Nr.	Beispiel	Kurzbeschreibung Gefahr/Geeigneter Umgang bzw. mögliche Behebung
2		Hölzerne Treppen
		• Brennbarkeit • Brandübertragung in den Treppenraum behindern, Abweichung beantragen
3		Breite bzw. Steigungsmaße von notwendigen Treppen nicht ausreichend
		• Evakuierung gefährdet • Nutzung beschränken oder Treppe erneuern
4		Brennbare Be- und Verkleidungen
		• Für Einzelfall zu ermitteln, hölzerne Bekleidungen sind i. d. R. unkritisch • Hölzerne Bekleidungen können im Allgemeinen belassen bleiben, Abweichung beantragen

<table>
<tr><th rowspan="2">Lfd. Nr.</th><th rowspan="2">Beispiel</th><th>Kurzbeschreibung</th></tr>
<tr><th>Gefahr/Geeigneter Umgang bzw. mögliche Behebung</th></tr>
<tr><td rowspan="2">5</td><td rowspan="2"> </td><td>Türen zu Wohnungen nicht vollwandig bzw. ohne Dichtungen</td></tr>
<tr><td>• Rauchausbreitung
• Dichtungen und Selbstschließung nachrüsten</td></tr>
<tr><td rowspan="2">6</td><td rowspan="2"> </td><td>Türen zu Kellergeschossen ohne brandschutztechnische Klassifikation</td></tr>
<tr><td>• Brandausbreitung in den Treppenraum
• Tür austauschen oder brandschutztechnische Vorsatztür anordnen</td></tr>
<tr><td rowspan="2">7</td><td rowspan="2"> </td><td>Fenster für Rauchableitung nicht brauchbar</td></tr>
<tr><td>• Wirksame Löscharbeiten gefährdet
• Möglichkeit der Rauchableitung schaffen</td></tr>
</table>

<table>
<tr><th rowspan="2">Lfd. Nr.</th><th rowspan="2">Beispiel</th><th>Kurzbeschreibung</th></tr>
<tr><th>Gefahr/Geeigneter Umgang bzw. mögliche Behebung</th></tr>
<tr><td rowspan="2">8</td><td rowspan="2"> </td><td>Keine Möglichkeit der Rauchableitung aus innenliegendem Treppenraum</td></tr>
<tr><td>• Wirksame Löscharbeiten gefährdet
• Möglichkeit der Rauchableitung schaffen</td></tr>
<tr><td rowspan="2">9</td><td rowspan="2"> </td><td>Vorhandene Fenster im Treppenraum nicht zügig zu öffnen</td></tr>
<tr><td>• Wirksame Löscharbeiten gefährdet
• Fenster nachrüsten</td></tr>
<tr><td rowspan="2">10</td><td rowspan="2"> </td><td>Brennbare Tragkonstruktionen</td></tr>
<tr><td>• Brennbarkeit
• Vorhandenen Feuerwiderstand ermitteln, historische Vollholzquerschnitte haben zumeist ausreichenden Feuerwiderstand, Abweichung beantragen</td></tr>
</table>

Lfd. Nr.	Beispiel	Kurzbeschreibung Gefahr/Geeigneter Umgang bzw. mögliche Behebung
11		Brennbare Bestandteile in Brandwänden/ Brandmauern • Brandweiterleitung • Brennbare Bestandteile entfernen
12		Lüftungsöffnungen zum Treppenraum • Brand- und Rauchausbreitung • Öffnungen verschließen
13		Unsachgemäße Leitungsverlegung • Brandentstehung, Brand- und Rauchausbreitung • Leitungsführung ändern, zugelassene Abschottungen einbauen

Lfd. Nr.	Beispiel	Kurzbeschreibung Gefahr/Geeigneter Umgang bzw. mögliche Behebung
14	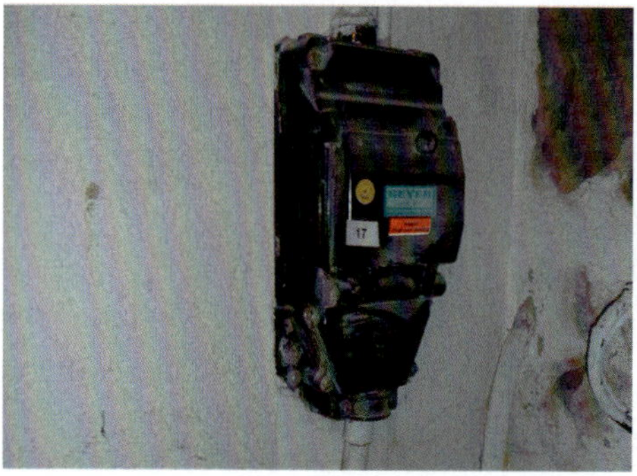	Hausanschluss im Treppenraum
		• Brandentstehung • Umverlegen oder brandschutztechnisch wirksam bekleiden (feuerhemmend)
15		Elektroverteilungen im Treppenraum
		• Brandentstehung • Umverlegen oder brandschutztechnisch wirksam bekleiden (feuerhemmend)
16	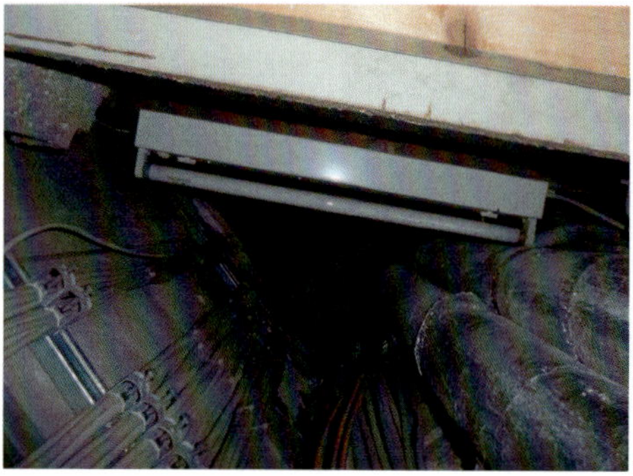	Elektrosteigleitungen ungeschützt im Treppenraum
		• Brandentstehung • Umverlegen oder brandschutztechnisch wirksam bekleiden (feuerhemmend oder Bandagierung)

Lfd. Nr.	Beispiel	Kurzbeschreibung Gefahr/Geeigneter Umgang bzw. mögliche Behebung
17		Aufzüge für Brandfall nicht ordnungsgemäß gekennzeichnet
		• Evakuierung gefährdet • Ordnungsgemäß kennzeichnen
18		Unzulässige Brandlasten im Verlauf der Rettungswege
		• Brandentstehung • Brandlasten entfernen
19		Anleitermöglichkeit für die Feuerwehr bei oberen Geschossen nicht vorhanden oder erschwert
		• 2. Rettungsweg nicht gesichert • Nutzung beschränken, 1. Rettungsweg sichern oder zusätzlichen Rettungsweg schaffen

Lfd. Nr.	Beispiel	Kurzbeschreibung Gefahr/Geeigneter Umgang bzw. mögliche Behebung
20		Flächen für Feuerwehr nicht gekennzeichnet oder werden nicht freigehalten • Evakuierung bzw. wirksame Löscharbeiten gefährdet • Kennzeichnen der entsprechend notwendigen Flächen

4.2 Analyse häufiger Mängel in Bürogebäuden

Auch bei denkmalgeschützten Bürogebäuden ist es zumeist wichtiger, auf die bereits bei Wohngebäuden benannten Details – insbesondere auf die immer wieder anzutreffenden nachträglichen Installationen – zu achten, als die exakten Feuerwiderstände historischer Bauteile bestimmen bzw. erreichen zu wollen, was in den meisten Fällen ohnehin nur in Annäherung an heutige Bestimmungen möglich ist.

Tabelle 2: Beispiele für übliche Mängel in denkmalgeschützten Bürogebäuden

Lfd. Nr.	Beispiel	Kurzbeschreibung Geeigneter Umgang/ Mögliche Behebung
1		Hölzerne Treppen
		• Brennbarkeit • Brandübertragung in den Treppenraum behindern, Abweichung beantragen
2		Feuerwiderstand tragender Konstruktion abweichend von bauordnungsrechtlichen Vorgaben
		• Evakuierung bzw. wirksame Löscharbeiten gefährdet • Abweichung ermitteln, konkrete Beurteilung innerhalb des Brandschutzkonzeptes erforderlich

Lfd. Nr.	Beispiel	Kurzbeschreibung Geeigneter Umgang/ Mögliche Behebung
3		Historische Türen nicht vollwandig
		• Rauchausbreitung • Dichtungen und Selbstschließung nachrüsten
4		Brandschutztechnische Klassifikation für bauzeitliche Türen nicht nachzuweisen
		• Rauchausbreitung • Vorhandene Eigenschaften überprüfen, Entscheidung innerhalb des Brandschutzkonzeptes
5		Unsachgemäßer Einbau von Brandschutztüren
		• Brand- und Rauchausbreitung • Türeinbau verändern oder erneuern

Lfd. Nr.	Beispiel	Kurzbeschreibung / Geeigneter Umgang/ Mögliche Behebung
6		Zulassungskonformer Einbau wegen historischer Konstruktionen nicht möglich
		• Im Einzelfall zu überprüfen • Im Allgemeinen kann Einbau verbleiben
7	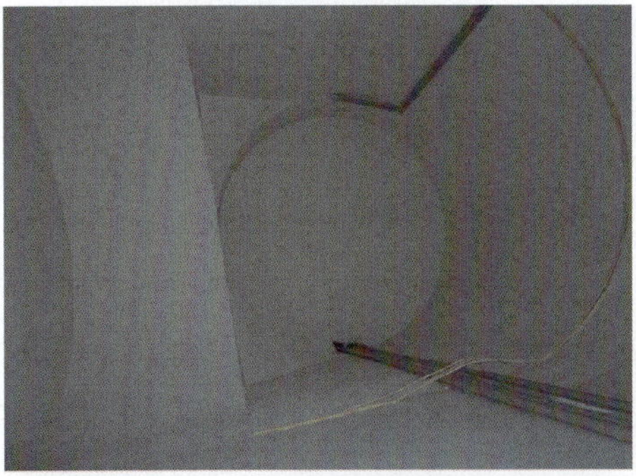	Treppenraum ohne Möglichkeit der Rauchableitung
		• Wirksame Löscharbeiten gefährdet • Möglichkeit der Rauchableitung schaffen
8		Historische Treppenbreite geringer als gefordert
		• Evakuierung gefährdet • Nutzung beschränken

Lfd. Nr.	Beispiel	Kurzbeschreibung / Geeigneter Umgang/ Mögliche Behebung
9		Einzelne Stufen im Verlauf von Rettungswegen • Evakuierung bzw. wirksame Löscharbeiten gefährdet • Stufen beleuchten (Sicherheitsstromversorgung)
10		Bauzeitliche Flure ohne Rauchabschnittsbildung • Rauchausbreitung • Rauchabschnitte bilden oder ingenieurgemäß Rauchableitung für den Einzelfall bemessen
11		Geringer Abstand zwischen Gebäudeteilen • Gefahr eines Brandüberschlages • Innere brandschutztechnische Bekleidung oder verbinden zu einer Nutzungseinheit

Lfd. Nr.	Beispiel	Kurzbeschreibung / Geeigneter Umgang/ Mögliche Behebung
12		Nur ein Rettungsweg vorhanden • Evakuierung bzw. wirksame Löscharbeiten gefährdet • Sicheren Treppenrauch ausbilden, Möglichkeit der Rauchableitung und der Rauchfreihaltung oder 2. Rettungsweg schaffen
13		Fehlende Abschottung von Lüftungsleitungen • Rauchausbreitung • Brandschutzklappen nachrüsten
14	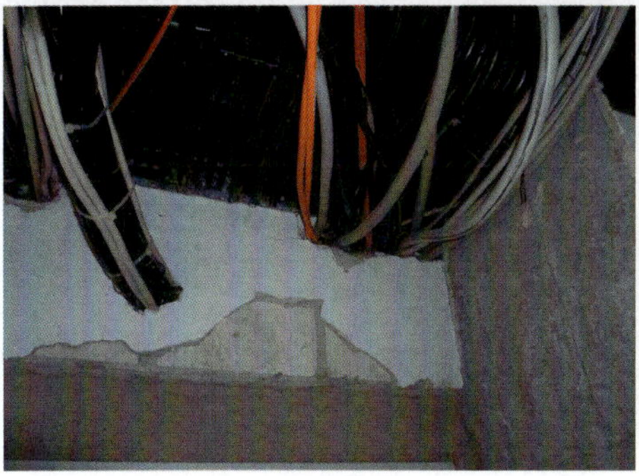	Unsachgemäße Verlegung von Elektroleitungen • Brandweiterleitung • Zugelassene Abschottungen einbauen

Lfd. Nr.	Beispiel	Kurzbeschreibung	Geeigneter Umgang/ Mögliche Behebung
15		Historische Verlegung von Elektroleitungen (Hohlräume)	• Brandentstehung und -weiterleitung • Elektroleitungen stilllegen und Hohlräume verfüllen oder überwachen
16		Durch Beleuchtung verdeckte Rettungswegausweisung	• Evakuierung gefährdet • Rettungswegausweisung verändern
17		Türen öffnen entgegen der Fluchtrichtung	• Evakuierung ggf. gefährdet • Überprüfung der Personenströme innerhalb des Brandschutzkonzeptes

Lfd. Nr.	Beispiel	Kurzbeschreibung	Geeigneter Umgang/ Mögliche Behebung
18		Fehlende Rettungswegausweisung	• Evakuierung gefährdet • Rettungswegausweisung nachrüsten
19		Zugang zum Treppenraum nicht möglich (Vergitterung)	• Evakuierung (2. Rettungsweg) gefährdet • Vergitterungen ausbauen und Sicherung mit zugelassenen Notausgangsverschlüssen versehen (s. Tabelle 4)
20		Unzulässige Brandlasten im Treppenraum	• Evakuierung gefährdet, Brandentstehung • Brandlasten entfernen

4.3 Angemessene Beurteilung vorgefundener Mängel

Nach dem Feststellen der jeweiligen im Einzelfall angetroffenen Mängel an einem historischen Gebäude ist die konkrete Risikoanalyse vorzunehmen. Die Mängel haben im Detail oft eine sehr unterschiedliche Wirkung, wobei häufig zu attestieren ist, dass ein scheinbar bedeutender Mangel, wie ein von der heutigen Vorschrift abweichender Feuerwiderstand, gar nicht derartig ins Gewicht fällt, während beinah vergessene, unsachgemäß nachträglich verlegte Elektro- oder Datenleitungen mit ihren Brandlasten bzw. wegen der Gefahr einer möglichen Brandweiterleitung die Rettungswege erheblich mehr beeinträchtigen.

Um die Risikobeurteilung angemessen durchführen zu können, ist es zunächst wichtig zu überprüfen, welche sicherheitstechnischen Anforderungen zur Errichtungszeit des Gebäudes galten, denn Bestandsschutz kann ein Gebäude natürlich nur haben, wenn das zur Bauzeit geforderte Sicherheitsniveau auch erreicht wurde. Ein bauzeitlicher „Pfusch" ist nicht im Nachhinein zu legitimieren. Parallel dazu gilt es zu ergründen, welchen Sinn die heutige Neubauvorschrift hat. So ist es möglich, das Abweichungspotenzial zu bestimmen und festzustellen, um welche Gefährdungslage es sich konkret überhaupt handelt. Erfahrungsgemäß bestimmen drei wesentliche Themen jegliche Risikobeurteilung:

- Situation und Sicherheit der Rettungswege
- mögliche Rauchableitung aus Treppenräumen
- nachträglich vorgenommenen Installationen.

Der erfahrene langjährige amtierende Leiter des Bauordnungsamtes der thüringischen Landeshauptstadt Erfurt Kurt-Peter Frank führt in von ihm geleiteten Brandschutzseminaren stets die folgende „Formel" an: **„Rauch und Rettung = 85 % des Brandschutzkonzeptes"**. Das bedeutet, dass tatsächlich die detaillierten Bauteilanforderungen für neu zu errichtende Gebäude gemäß den aktuellen Landesbauordnungen gegenüber den einzuschätzenden Gefahren in Bezug auf eine mögliche Rauchausbreitung und den Zustand der Rettungswege in dem zu betrachtenden Gebäude in den Hintergrund rücken und eher einen geringeren Teil eines Brandschutznachweises ausmachen.

Der Teil 4 der DIN 4102 [62] enthält als Eingeführte Technische Baubestimmung auf der Grundlage von Brandprüfungen Aussagen zum Brandverhalten von Baustoffen und Bauteilen. Dort werden die klassifizierten Baustoffe, Bauteile und Sonderbauteile zusammengestellt und deren Anwendung geregelt. Die enthaltenen Bauteile oder Baustoffe können demnach ohne weitere Prüfung gemäß dieser Norm klassifiziert und angewendet werden. Hinweise für die brandschutztechnische Einstufung für Bauteile modernerer Baudenkmale des 20. Jahrhunderts können sowohl den historischen Ausgaben von DIN 4102 [63] als auch der aktuellen Fassung entnommen werden.

Um ein bestehendes bauliches Gefüge und sein Tragwerk einschließlich seiner Qualitäten wirklichkeitsnah einschätzen zu können, ist ein Rückgriff auf die zu seiner Bauzeit gültig gewesenen Regeln oder Normen empfehlenswert. Dadurch kann das zur Errichtungszeit vereinbarte Sicherheitsniveau und -konzept verstanden und nachempfunden werden. Zugleich treten Quellen zu Tage, die Auskunft über die mögliche Leistungsfähigkeit und die zu berücksichtigenden Schwächen im Brandfall geben. Umfangreiche Aussagen dazu sind u. a. bei R. Ahnert [64], K. Erler [65], W. Mönck und W. Rug [66], in historischen Vorschriften [67] und Erlassen [68] sowie in klassischer Fachliteratur wie bei Metz [69] zu finden.

Bild 30: Blick in die Bürgerhalle eines „modernen" Baudenkmals (Rathaus) aus den 1950er Jahren

5 Brandschutzkonzepte für historische Wohn- und Bürobauten

5.1 Umfassende Bestandsanalyse und baugeschichtliche Zusammenhänge

Bei der Einschätzung des Feuerwiderstandes von bestehenden Bauteilen sind folgende Kriterien unabhängig von der materialtechnischen Beschaffenheit von grundlegender Bedeutung:

- Materialbestandteile und -qualitäten
- Einbausituationen (freiliegend, vollständig oder teilweise bekleidet)
- tatsächliche statische Auslastung einer vorhandenen Tragkonstruktion
- vorhandene Auflagerungen und Einspannungen
- Verbindungsmittel
- Überdeckungen und Beschichtungen, z. B. von Beton- oder Stahlkonstruktionen.

Um das konkrete Abweichungspotenzial genau festlegen zu können, ist es erforderlich, die konkrete Leistungsfähigkeit vorhandener Bauteile zu beurteilen. Dies kann anhand historischer Vorschriften (s. auch Kap. 4.3) oder – soweit noch vorhanden – bauzeitlicher An- oder Verwendbarkeitsnachweise wie Zulassungen bzw. Prüfzeugnisse, mittels vergleichender Untersuchungen, durch die Auswertung von Brandereignissen, bei denen ähnliche Konstruktionen belastet wurden, aber auch mit konkreten Materialuntersuchungen und nachträglichen ingenieurgemäßen Berechnungsmethoden erfolgen. Auf jeden Fall müssen brandschutztechnische Eigenschaften wie die Feuerwiderstandsdauer stets im Zusammenhang mit der Tragwerksplanung betrachtet werden. Leider ist die fehlende Korrespondenz der jeweiligen Fachplanungen untereinander immer wieder eine Quelle für mangelhafte Planungen.

Auch wenn die Abweichungen der bestehenden Bauteile gegenüber den heutigen Vorschriften nicht die vordergründige Rolle spielen, so ist die genaue Kenntnis der Ausgangssituation trotzdem für die Gesamtbeurteilung eines Brandschutzkonzeptes wichtig, insbesondere aus dem Blickwinkel der wirksamen Löscharbeiten, damit die Feuerwehr einschätzen kann, wie lange z. B. ein innerer Löschangriff möglich ist.

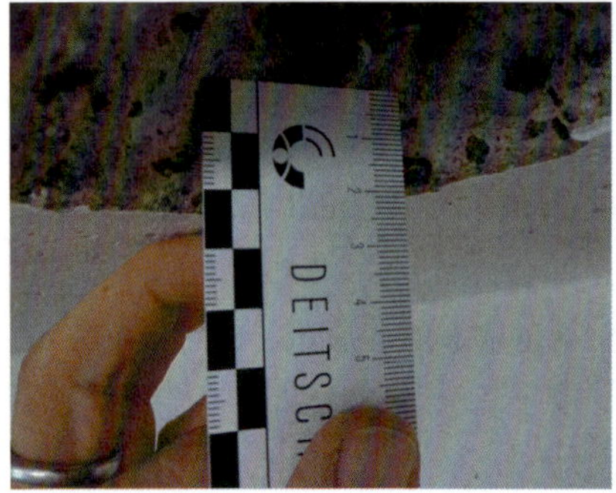

Bild 31: Überprüfung der Betonüberdeckung

Bild 32: Analyse der gusseisernen Stützen musste im Zusammenhang mit der Tragwerksplanung erfolgen.

5.2 Grundlagen für Brandschutzkonzepte

In der Analyse bisheriger Planungsverläufe und deren wiederkehrender Probleme wurde durch den Autor eine grundlegende Methodik für die geeignete Handlungsweise beim Umgang mit dem Brandschutz bei Baudenkmalen erarbeitet. Diese basiert auf den gewonnenen Erkenntnissen zum geeigneten und unangemessenen Umgang mit Baudenkmalen.

Die Voraussetzung für vernünftige Abläufe ist das erforderliche „Hineindenken" in die Erfordernisse der jeweils scheinbar einander gegenüberstehenden handelnden Seite. Es bedarf des gegenseitigen Verständnisses; dann wird die Suche nach dem einvernehmlichen Brandschutzkonzept erfolgreich sein, das sich nicht an starren Standardregelungen orientiert.

In brandschutztechnischer Hinsicht ist es geboten, bei Sanierungsvorhaben auf das WTA-Merkblatt 8-12 „Brandschutz von Fachwerkgebäuden und Holzbauteilen" [70] und das neue „WTA-Merkblatt 11-1 Brandschutz im Bestand und bei Baudenkmalen I: Grundlagen [71]" zurückzugreifen. Das Merkblatt 8-12 beschreibt die vorliegenden Erfahrungen im Brandschutz, in der Praxis der Fachwerkin-

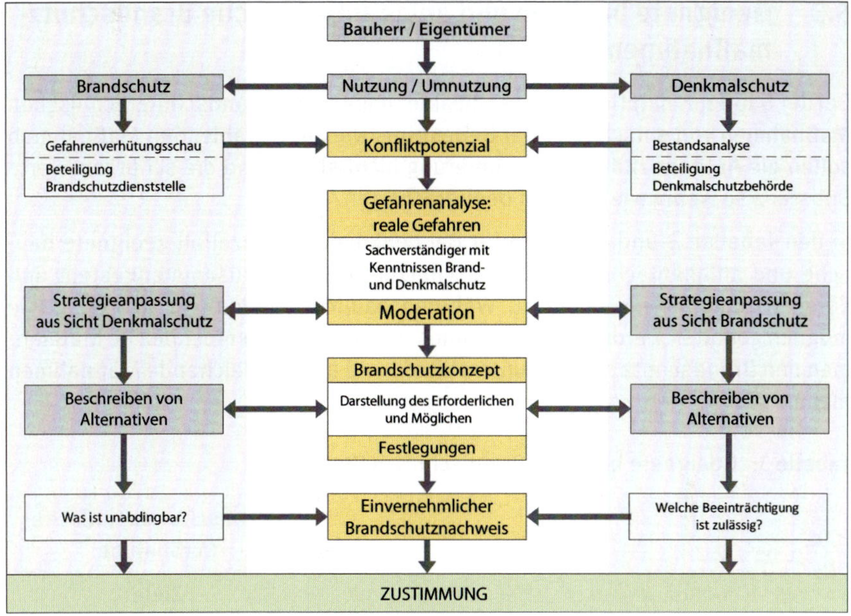

Bild 33: Weg zu einem einvernehmlichen Brandschutznachweis für Baudenkmale

standsetzung und im Umgang mit hölzernen Konstruktionen in bestehenden Gebäuden. Es gibt die allgemein anerkannten Regeln der Technik im Umgang mit den brandschutztechnischen Anforderungen in dieser Hinsicht wieder.

Zugleich sind Konflikte mit gültigen Regelwerken aufgezeigt, sowohl was die Einhaltung der Anforderungen und der Nachweisverfahren als auch die oft in den betreffenden Regelungen geforderten Bekleidungen von Holzbaustoffen betrifft. Hierfür werden Alternativen angeboten. Im Merkblatt wird die generelle Erstellung einer gebäudekonkreten, brandschutztechnischen Beurteilung von Gebäuden mit hölzernen Konstruktionen angeregt und favorisiert, auf deren Basis brandschutztechnische Maßnahmen ausgeführt werden können, die nicht zwangsläufig eine bauliche Bekleidung der tragenden hölzernen Konstruktionen nach sich ziehen.

Das im Jahr 2020 erschienene WTA-Merkblatt 117-1 widmet sich den übergreifenden Grundsätzen des Brandschutzes bei bestehenden Gebäuden und Baudenkmalen und regelt damit den angemessenen Umgang mit der bauzeitlichen Substanz.

5.3 Geeignete bauliche und anlagentechnische Brandschutzmaßnahmen

Bei der Baudenkmalpflege ist der sensible Umgang mit brandschutztechnischen Maßnahmen von entscheidender Bedeutung. Die auszuwählenden Maßnahmen sollen die Authentizität der Überlieferung nicht stören und die schützenswerte Substanz so wenig wie möglich beeinträchtigen.

In den Tabellen 3 und 4 werden für Baudenkmale im Einzelfall geeignete bauliche und anlagentechnische Brandschutzmaßnahmen zusammengestellt und deren Wirkungsweise erläutert. Während bauliche Maßnahme so gering wie möglich gehalten werden sollten, können vor allem anlagentechnische Maßnahmen den Brandschutz sinnvoll unterstützen und als ausgleichende Maßnahmen dienen.

Tabelle 3: Geeignete bauliche Brandschutzmaßnahmen

Lfd. Nr.	Beispiel	Brandschutztechnische Maßnahme
		Ziele
1		Anbau eines zusätzlichen Rettungsweges
		• Zweiter baulicher Rettungsweg • Erhöhte Anforderungen durch Umnutzung • Sicherung zusätzlicher Nutzungseinheiten

Lfd. Nr.	Beispiel	Brandschutztechnische Maßnahme
		Ziele
2		Anbau einer Notleiter mit Rückenschutz
		• Ergänzung der bestehenden Rettungswege • Evakuierung gefangener Räume
3		Ausbildung eines Rettungspodestes mit Notleiter
		• Ausbildung des zweiten Rettungsweges • Weiterführen von Treppenräumen, die nicht ins Freie führen
4	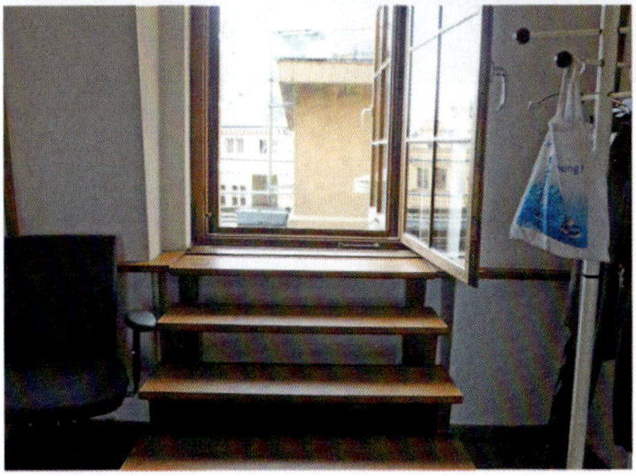	Rettungsausstieg über Fenster
		• Sicherung des zweiten Rettungsweges • Evakuierung zu einer Anleiterstelle

<table>
<tr><th rowspan="2">Lfd. Nr.</th><th rowspan="2">Beispiel</th><th>Brandschutztechnische Maßnahme</th></tr>
<tr><th>Ziele</th></tr>
<tr><td rowspan="2">5</td><td rowspan="2"> </td><td>Alternative Rettungswegführung in einen benachbarten Treppenraum</td></tr>
<tr><td>• Führung zu einem zweiten baulichen Rettungsweg
• Nicht möglicher Ein- oder Anbau eines zusätzlichen Rettungsweges</td></tr>
<tr><td rowspan="2">6</td><td rowspan="2"> </td><td>Einbau von Feuerschutzabschlüssen gegenüber Kellerräumen</td></tr>
<tr><td>• Erfüllen bauordnungsrechtlicher Anforderungen an Türen zu Treppenräumen oder notwendigen Fluren
• Schutz von Treppenräumen
• Vermeidung einer Brand- oder Rauchausbreitung</td></tr>
</table>

Lfd. Nr.	Beispiel	Brandschutztechnische Maßnahme / Ziele
7		Einbau neuer Rauchabzüge • Sicherung von Treppenräumen • Gewährleisten wirksamer Löscharbeiten • Im Einzelfall für Rauchfreihaltung (Evakuierung)
8	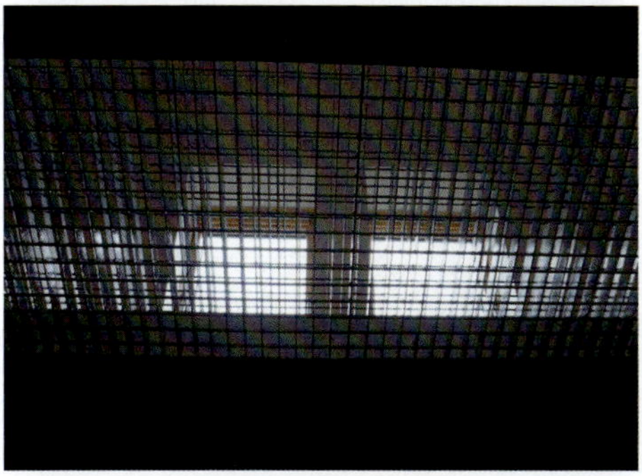	Verdeckter Einbau von Rauchabzügen • Sicherung von Treppenräumen • Gewährleisten wirksamer Löscharbeiten • Im Einzelfall für Rauchfreihaltung (Evakuierung)
9		Einbau von Rauchschutztüren zwischen Nutzungseinheiten und Treppenräumen • Bildung von Rauchabschnitten • Abtrennung zum Treppenraum

Lfd. Nr.	Beispiel	Brandschutztechnische Maßnahme
		Ziele
10		Einbau von Feuerschutzabschlüssen gegenüber Erweiterungen
		• Bildung von Rauch- oder Brandabschnitten • Schutz unzulässiger Öffnungen in Brandwänden
11		Einbau von Feuerschutzabschlüssen zwischen Nutzungseinheiten oder notwendigen Fluren gegenüber Treppenräumen
		• Bildung von Rauch- oder Brandabschnitten • Schutz von Treppenräumen
12		Anbau von Notausgangs- oder Panikverschlüssen an Treppenraumausgängen
		• Gewährleisten einer zügigen Evakuierung

Lfd. Nr.	Beispiel	Brandschutztechnische Maßnahme / Ziele
13		Anbau von Rampen
		• Sicherung des Rettungsweges für Gehbehinderte oder ältere Menschen
14		Rauch- oder Feuerschutzvorhang vor Bestandstüren
		• Erfüllen bauordnungsrechtlicher Anforderungen an Türen zu Treppenräumen oder notwendigen Fluren • Schutz von Treppenräumen • Vermeidung einer Brand- oder Rauchausbreitung

Lfd. Nr.	Beispiel	Brandschutztechnische Maßnahme
		Ziele
15		Transparente Ausbildung von Rauchabschnitten anstelle historischer Abschlüsse
		• Denkmalgerechter Umgang mit historischen Feuerschutzabschlüssen • Bildung von Rauchabschnitten innerhalb längerer Flure
16		Abgrenzung von Kopier- bzw. Technikbereichen
		• Schutz von notwendigen Fluren • Sicherung von Raumabschlüssen
17		Ertüchtigung von Bestandstüren
		• Schutz von notwendigen Fluren oder Treppenräumen • Verhinderung der Rauchausbreitung

Lfd. Nr.	Beispiel	Brandschutztechnische Maßnahme
		Ziele
18		Dämmschichtbildende Anstriche für stählerne Bauteile
		• Erhöhung der Feuerwiderstandsdauer
19		Schutz innerer Ecken
		• Erfüllen bauordnungsrechtlicher Anforderungen an Treppenräume oder notwendige Flure • Verhinderung eines Feuerüberschlages
20		Einbau eines Feuerwehrschlüsseldepots
		• Zerstörungsfreier Zugang für die Feuerwehr • Gewährleisten wirksamer Löscharbeiten

Tabelle 4: Geeignete anlagentechnische Brandschutzmaßnahmen

Lfd. Nr.	Beispiel	Brandschutztechnische Maßnahme
		Ziele
1		Fachgerechte Abschottungen von Leitungsanlagen
		• Sicherung von Rettungswegen • Verhinderung einer Brandweiterleitung
2		Automatisch öffnender Rauchabzug im Treppenraum
		• Ermöglichen wirksamer Löscharbeiten • Sicherung des Treppenraums
3		Automatische natürliche Entrauchung über Fenster
		• Sicherung des Feuerwehrangriffs • Unterstützung der Evakuierung im Einzelfall

Lfd. Nr.	Beispiel	**Brandschutztechnische Maßnahme** **Ziele**
4		Einbau einer Rauchschaltzentrale • Anlagentechnische Koordinierung der Entrauchung • Unterstützung wirksamer Löscharbeiten
5		Druckbelüftungsanlage • Schutz von Treppenräumen bei nicht zu öffnendem Fenster • Wirksame Löscharbeiten
6		Sicherheitsbeleuchtung in Treppenräumen • Sicherung der Evakuierung bei ausgedehnten Treppenräumen oder größeren Personenzahlen

Lfd. Nr.	Beispiel	Brandschutztechnische Maßnahme	Ziele
7		Sicherung von Notausgängen	• Vernetzung von brandschutz- und sicherheitstechnischen Belangen
8		Beleuchtung von Stufen innerhalb von Rettungswegen	• Gewährleisten einer sicheren Evakuierung
9		Installation von Rauchwarnmeldern	• Branddetektion in gefährdeten Bereichen

Lfd. Nr.	Beispiel	Brandschutztechnische Maßnahme	Ziele
10		Installation von funkvernetzten Rauchwarnmeldern	• Branddetektion in gefährdeten Bereichen, besonders für Stuckdecken geeignet
11		Installation eines Rauchansaugsystems	• Branddetektion in gefährdeten Bereichen, besonders bei reichhaltig gestalteten Decken • Kulturgutschutz
12	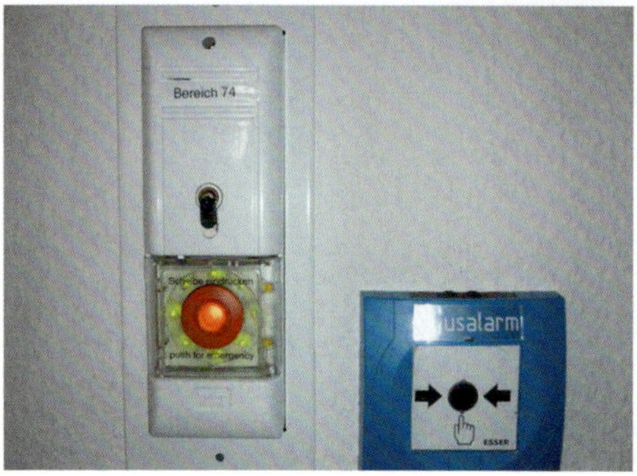	Hausalarmanlage	• Rechtzeitige Warnung vor Gefahren • Zügige Evakuierung

Lfd. Nr.	Beispiel	Brandschutztechnische Maßnahme / Ziele
13		Brandmeldeanlage
		• Frühzeitige Branddetektion bei ausgedehnten Bürogebäuden
14	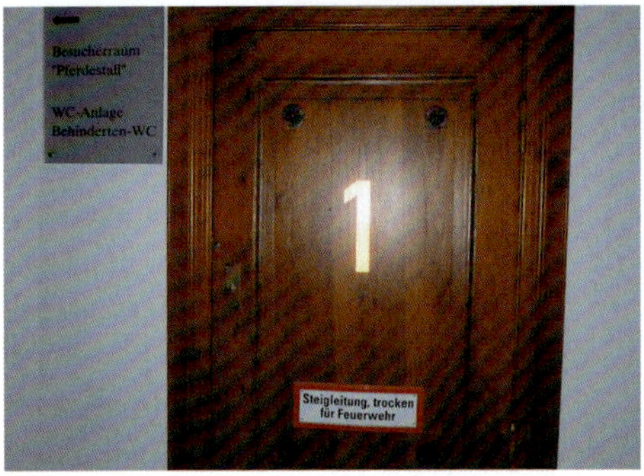	Steigleitungen, trocken
		• Gewährleisten wirksamer Löscharbeiten bei ausgedehnten Gebäudebereichen oder höheren Gebäuden • Sicherung von hinteren Bebauungen, z. B. Innenhöfe
15		Dynamische Brandfallsteuerung von Aufzügen
		• Sicherung der Evakuierung

5.4 Organisatorische Regelungen

In der Tabelle 5 werden sinnvolle organisatorische Maßnahmen – insbesondere für Bürogebäude – vorgestellt und deren brandschutztechnischen Ziele benannt. Organisatorische Regelungen sind i. d. R. ereignisverhindernde Maßnahmen und für Baudenkmale besonders geeignet, weil diese keines Eingriffs in die wertvolle Bausubstanz bedürfen.

Tabelle 5: Geeignete organisatorische Brandschutzmaßnahmen

Lfd. Nr.	Beispiel	Organisatorische Maßnahme
		Ziele
1		Regelungen in der Brandschutzordnung gemäß DIN 14096
		• Richtiges Nutzungsverhalten • Verhindern einer Brandentstehung • Unterstützung wirksamer Löscharbeiten
2		Flucht- und Rettungspläne gemäß DIN 4844-3
		• Unterstützung der Evakuierung • Hilfe bei der Orientierung im Gefahrenfall

Lfd. Nr.	Beispiel	Organisatorische Maßnahme Ziele
3		Hinterleuchtete Rettungswegausweisung
		• Erleichtern der Orientierung, auch für Ortsunkundige • Gleichzeitig Sicherheitsbeleuchtung • Zügige Evakuierung
4		Nachleuchtende Rettungswegausschilderung
		• Erleichtern der Orientierung • Zügige Evakuierung
5		Hausalarmierung
		• Warnung vor Gefahren • Beschleunigen der Evakuierung

Lfd. Nr.	Beispiel	Organisatorische Maßnahme	Ziele
6	 	Evakuierungsstuhl vorhalten	• Sicherung der Evakuierung einzelner Gehbehinderter
7		Ausreichende Sicherung gefährdeter Bereiche	• Schaffen von Kopierbereichen • Schutz notwendiger Flure
8	 	Aufzüge für Brandfall kennzeichnen	• Verhinderung von Personenschäden

Lfd. Nr.	Beispiel	Organisatorische Maßnahme / Ziele
9		Feuerlöscher an geeigneten Stellen gut sichtbar anbringen • Wirksames Bekämpfen von Kleinbränden • Verhinderung einer Brandausbreitung
10		Schwerentflammbares oder hölzernes Mobiliar in begrenzter Anzahl in Treppenräumen bzw. notwendigen Fluren • Vermeidung einer Brandentstehung • Sicherung der Rettungswege
11		Treppenraum brandlastenfrei bzw. -arm halten, ggf. Bekanntmachungen in verschlossenen Schaukästen • Schutz von Treppenräumen • Unterbinden einer Brandentstehung

Lfd. Nr.	Beispiel	Organisatorische Maßnahme Ziele
12		Schwerentflammbares oder hölzernes Mobiliar in begrenzter Anzahl in Treppenräumen bzw. notwendigen Fluren • Vermeidung einer Brandentstehung • Sicherung von Rettungswegen
13		Korrektes Kennzeichnen von Feuerschutzabschlüssen • Verhindern einer Außerbetriebnahme, z. B. durch Verkeilen • Schutz von Rettungswegen
14	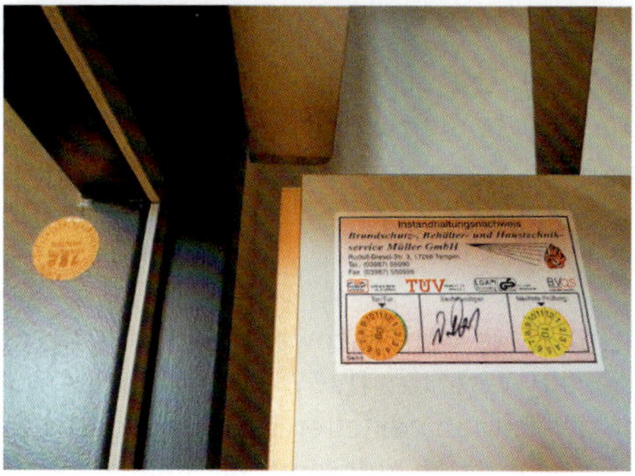	Regelmäßige Wartung von Brandschutztüren • Gewährleisten der Funktionsfähigkeit • Sichern der Rettungswege

Lfd. Nr.	Beispiel	Organisatorische Maßnahme
		Ziele
15		Wartung von bauaufsichtlich zugelassenen Feststellanlagen
		• Gewährleisten der Funktionsbereitschaft • Schutz der Rettungswege • Überprüfen der Feuerwehrpläne

5.5 Ausgewählte Detaillösungen

Bestimmte brandschutztechnische Fragestellungen treten trotz aller Individualität der Baudenkmale immer wieder in zu vergleichender Art und Weise bei vielen denkmalgeschützten Bauwerken auf. Mehrere besonders häufig anzutreffende Konfliktsituationen werden im Folgenden erläutert und entsprechende Lösungsansätze dafür vorgestellt.

Vorhandene Löschwasserwasserversorgung entspricht nicht dem DVGW Arbeitsblatt W 405

Konfliktsituation

Insbesondere in ländlichen Gebieten stellt sich – beispielsweise bei Umnutzungen oder Erweiterungen – heraus, dass die zur Verfügung stehende Löschwassermenge nicht (mehr) den Anforderungen des aktuellen DVGW Arbeitsblattes W 405 entspricht. [72]

Bewertung

Da landläufig angenommen wird, dass die Löschwasserversorgung nur dann ausreichend gesichert sei, wenn die Werte des DVGW-Arbeitsblattes W 405 eingehalten sind, werden zusätzliche Entnahmestellen bzw. der Löschwasserversorgung dienende technische Einrichtungen gefordert, unabhängig vom jeweils konkreten Erfordernis.

Lösungsvorschläge

Grundsätzlich zieht eine etwas zu geringe verfügbare Löschwassermenge nicht automatisch eine reale Gefährdung nach sich. Es ist stattdessen zu ermitteln, welcher konkrete Löschbedarf bei einem Brandfall besteht. Sollte in einem Brandschutznachweis pauschal auf die Anforderungen des DVGW-Arbeitsblattes W 405 abgestellt werden, ist kritisch zu hinterfragen und zu ermitteln, welcher tatsächliche Bedarf in dem konkreten Fall besteht. Eine wichtige Hilfestellung darüber hinaus gibt die Erläuterung unter Nr. 14.2 der VollzBekThürBO, die besagt: „Die Möglichkeit wirksamer Löscharbeiten schließt auch die ausreichende Löschwasserversorgung ein. Die Richtwerte für die ausreichende Bemessung sind im DVGW-Arbeitsblatt W 405 ‚Bereitstellung von Löschwasser durch die öffentliche Trinkwasserversorgung' dargestellt. Die der Löschwasserversorgung dienenden technischen Einrichtungen können (Trink- und Brauchwasser-) Versorgungsleitungen mit Hydranten sowie von diesen Versorgungsleitungen unabhängige Löschwasservorräte wie Löschwasserbrunnen, Löschwasserteiche und Löschwasser-Sauganschlüsse an offenen Gewässern sein. **Im unbeplanten Innenbereich reicht für Gebäude, die sich i. S. d. § 34 BauGB einfügen, im Allgemeinen die Löschwasserversorgung aus, die vorhanden ist.**" [73]

Nicht nachzuweisende brandschutztechnische Klassifikationen für Bestandsbauteile

Konfliktsituation

Brandschutztechnische Klassifikationen für bestehende Bauteile anhand von Normbrandprüfungen gibt es erst seit dem Jahr 1934. [74] Somit ist für eine überwiegende Mehrzahl der Baudenkmale – insbesondere hinsichtlich der tragenden und aussteifenden Bauteile – ein Nachweis der konkreten brandschutztechnischen Leistungsfähigkeit in Form heutiger allgemein anerkannter Verwendbarkeitsnachweise, z. B. bei wesentlichen Änderungen, nicht oder nur sehr eingeschränkt möglich.

Bewertung

Bei einer unveränderten Bestandssituation ist davon auszugehen, dass eine Anpassung an das heutige Recht nicht erforderlich ist (s. Kap. 2.4 und 3.3), es sei denn, dass konkrete Gefahren zu attestieren sind. Diese Gefahren haben sich jedoch ausdrücklich auf Rettungswege zu beziehen und es ist der sog. Verhältnismäßigkeitsgrundsatz [75] unter Würdigung denkmalpflegerischer Belange zu wahren. Ist eine brandschutztechnische Neubewertung wegen wesentlicher Änderungen notwendig, ergibt sich häufig ein umfangreiches Abweichungspotenzial, das auf der Grundlage einer sorgfältigen Bestandsanalyse entsprechend fachgerecht zu begründen ist.

Lösungsvorschläge

Im Rahmen der Neubewertung eines jüngeren Baudenkmals der Errichtungszeit ab der Einführung der DIN 4102 als technische Baubestimmung in Deutschland ist es möglich, die bestehenden Bauteile hinsichtlich ihrer brandschutztechnischen Eigenschaften anhand der historischen Fassungen dieser Norm anzunehmen. [76] Das kann übertragen auch für nach den TGL-Regeln in der DDR errichtete Bauteile gelten, weil diesen brandschutztechnischen Klassifikationen auch Brandprüfungen nach der Einheitstemperaturzeitkurve zugrunde lagen. Ist das nicht möglich, sind Analogievergleiche auf der Grundlage historischer Fachliteratur oder früherer Bauverordnungen, die zumindest ab der Mitte des 19. Jahrhunderts vorliegen, zu empfehlen. Dazu zählt auch die Auswertung von Brandereignissen, die Auskunft über die Leistungsfähigkeit bestehender Bauteile geben. [77] Über eine spezifische Beschreibung der im Einzelfall vorliegenden Bauweise kann eine Abweichung oder Erleichterung von den aktuellen Vorschriften des Bauordnungsrechtes auf der Grundlage von DIN 18009-1 [78] entweder durch eine argumentative ingenieurgemäße oder eine leistungsbezogene Nachweisführung zur Erreichung des erforderlichen Schutzzielniveaus vorgenommen werden. [79] Besonders wichtig in diesem Zusammenhang ist die folgende Feststellung: **„Allein die zu geringe Feuerwiderstandsdauer von Bauteilen begründet noch keine konkrete Gefahr, wenn diese Defizite erst zu einem späteren Zeitpunkt zum Tragen kommen, von dem zu erwarten ist, dass die Evakuierung (Selbst- und Fremdrettung) schon abgeschlossen ist.“** [80] Somit können oftmals Bauteile unverändert im Bestand erhalten bleiben (s. Bild 34).

Nicht mögliche Brandabschnittsbildung

Konfliktsituation

Das Bilden von Brandabschnitten in baulichen Anlagen setzt voraus, dass entsprechende Brandwände vorhanden sind, die der geltenden Norm entsprechen. Bis in die Mitte des 20. Jahrhunderts hinein wurde in den Bauordnungen von „Brandmauern“ gesprochen, die zunächst nur konstruktiv hinsichtlich der erforderlichen Eigenschaften beschrieben wurden.

Bewertung

Das bauordnungsrechtliche Schutzziel der ausreichenden Behinderung einer Brandausbreitung, einhergehend mit der Ermöglichung wirksamer Löscharbeiten, ist im Allgemeinen auch ohne genormte Brandabschnitte im Sinne der aktuellen DIN 4102-3 [81]. Dennoch ist bei einem Brandfall eine exakte Beschreibung der jeweiligen konkreten Situation vorzunehmen, weil es neben den bauaufsichtlichen Belangen auch denkmalpflegerische Ziele zu beachten gilt, wie z. B. die Erhaltung von Kulturgütern in Baudenkmalen bei einem Brandfall.

Bild 34: Ohne Nachrüstung im Bestand verbliebene Bauteile mit Brandschutzanforderungen

Lösungsvorschläge

Anstelle des Begriffs eines „Brandabschnitts" oder eines „Brandbekämpfungsabschnitts" (geregelt in der Muster-Industriebaurichtlinie [82]) sollten die bauzeitlichen Begriffe der **„Feuermauer"** oder der **„Brandmauer"** aus der jeweiligen Errichtungszeit beibehalten werden. Damit ist eindeutig, dass es sich nicht um neue, den heutigen Vorschriften entsprechende Bauteile, sondern im Bestand vorhandene handelt. Es empfiehlt sich zudem, anstelle von Brandabschnitten von **„Brandzellen"** zu sprechen, mit denen vergleichbar einer Brandausbreitung wirksam entgegengewirkt werden kann (s. Bild 35). Zur brandschutztechnischen Untergliederung bzw. zur Brandzellenbildung können auch sowohl vorhandene als auch neu hinzugefügte innere Trennwände herangezogen werden.

Bild 35: Alternative Brandzellenbildung

Dachgeschossausbau führt zu höherer Gebäudeklasse

Konfliktsituation

Ein nachträglicher Dachgeschossausbau zieht wiederholt eine Erhöhung der Gebäudeklasse nach sich, was zu höheren brandschutztechnischen Anforderungen an die Geschossdecken, die Trennwände, die Wände notwendiger Treppenräume und an die notwendigen Treppen führt.

Bewertung

Neben den denkmalpflegerischen Konflikten, die ein Dachgeschossausbau aus gestalterischen Gesichtspunkten nach sich ziehen kann, ergibt ein nachträglicher Dachgeschossausbau zu Aufenthaltsräumen oftmals eine höhere Gebäudeklasse mit entsprechend höheren materiellen Anforderungen, die aus der Gebäudeklasse resultieren.

Lösungsvorschläge

Grundsätzlich sind die sich aus der Veränderung der Gebäudeklasse ergebenden höheren materiellen Anforderungen dem Bestand gegenüberzustellen und das Abweichungspotenzial festzustellen. Es ist dabei zu berücksichtigen, dass kein pauschales Ermitteln eines Abweichens genügt, sondern sämtliche einzelne Abweichungstatbestände (z. B. gegenüber den Anforderungen der §§ 27, 29, 34 und 35 MBO [83]) aufzulisten und zu beschreiben sind.

Im Allgemeinen ist durch diese Abweichungen aber keine reale Gefährdung zu unterstellen, weswegen diese Tatbestände i. d. R. im Rahmen einer jeweiligen Einzelfallprüfung unter Würdigung der konkreten Rettungswegsituation positiv behandelt werden können. Sollte es zwei bauliche Rettungswege geben, kann allgemein festgestellt werden, dass grundsätzlich keine Bedenken hinsichtlich dieser Abweichungen bestehen.

In Bild 36 ist ein Wohn- und Geschäftshaus zu sehen, bei dem u. a. der Abweichungstatbestand durch den geplanten Dachgeschossausbau hinsichtlich der Anforderungen an die notwendige Treppe in dem Gebäude bei Änderung von der Gebäudeklasse 3 zur Gebäudeklasse 4 entstand. Dieser Abweichung wurde behördlich stattgegeben, weil zwei Rettungswege vorhanden sind – der zweite Rettungsweg führt hier über die Rettungsgeräte der Feuerwehr – sowie Rauchwarnmelder in allen Nutzungseinheiten vorgesehen und die historischen Eingangstüren zu den Nutzungseinheiten selbstschließend ertüchtigt wurden.

Bild 36: Notwendige Treppe müsste in der Gebäudeklasse 4 nichtbrennbar sein

Türaufschlagsrichtung nicht in Richtung des Rettungsweges

Konfliktsituation

In Baudenkmalen befinden sind des Öfteren Türen, deren Aufschlagsrichtung nicht in Richtung des Rettungsweges führt. Das kann historisch überliefert sein, vor allem bei Außentoren oder Pforten, oder sich durch nachträgliche Änderungen, wie z. B. Nutzungsänderungen ergeben. Besonders schwierig ist die Situation dann, wenn aus brandschutztechnischer Sicht eine wechselseitige Benutzung der betreffenden Türen angestrebt wird, um zwei bauliche Rettungswege zu erreichen.

Bewertung

Das Aufschlagen entgegen der Rettungswegrichtung ist hinsichtlich der Belange des Brandschutzes und des Arbeitsschutzes zu unterscheiden. Ein Konflikt entsteht vordergründig immer dann, wenn aus brandschutztechnischer Sicht die Aufschlagsrichtung als vertretbar eingeschätzt wird, jedoch – vor allem bei Bürogebäuden oder Mischnutzungen – nicht aus arbeitsschutzrechtlicher.

Lösungsvorschläge

Vordergründig geht es bei diesem Abweichungspotenzial um Gebäudeausgangstüren oder Ausgangstüren aus Nutzungseinheiten, sogenannte Notausgangstüren im arbeitsschutzrechtlichen Sinn. Beim Auftreten einer solchen widersprüchlichen Situation ist es zunächst empfehlenswert, unter Würdigung der denkmalpflegerischen Zielstellung (die Änderung der Aufschlagrichtung führt zu einer wesentlichen Beeinträchtigung aus denkmalpflegerischer Sicht, weil z. B. vorhandene Gewände beschädigt oder gar zerstört würden) eine Gefährdungsbeurteilung vorzunehmen, aus der sich ergeben kann, dass die bestehende Situation trotzdem akzeptabel ist (s. Bild 37). Bei einer Nutzung als Arbeitsstätte wird im § 5 des Arbeitsschutzgesetzes (ArbSchG) [84] eine solche einzelfallspezifische Gefährdungsbeurteilung durch den Arbeitgeber bzw. Betreiber gefordert. Diese Bewertung verfolgt, zu vergleichen mit dem Bauordnungsrecht, das Schutzziel, die ausreichende Personensicherheit zu gewährleisten. Das kann vor allem dann erfolgreich sein, wenn nur eine geringe Anzahl von Arbeitnehmern und Arbeitnehmerinnen auf den jeweiligen Rettungsweg angewiesen sind.

Hierbei ist jedoch anzumerken, dass eine bauaufsichtliche oder denkmalrechtliche Genehmigung der Aufschlagrichtung aus arbeitsschutzrechtlicher Sicht nicht ausreicht, sondern die Ausnahme von dieser Anforderung auf schriftlichen Antrag bei den für den Arbeitsschutz zuständigen Genehmigungsbehörden und nicht bei der zuständigen Bauaufsicht anzustreben ist, was sich in der Praxis allerdings als extrem schwierig herausstellt. [85]

Bild 37: Türaufschlag entgegen der Rettungswegrichtung bei diesem Einzelfall akzeptiert.

5.6 Praxisbeispiele

Teilweise Umnutzung eines Wohn- und Geschäftshauses

Der denkmalgeschütze Wohn- und Bürobau wurde im Jahre 1905 als Wohnhaus des Architekten Rudolf Zapfe errichtet, in welchem dieser auch arbeitete. Seit seiner umfassenden denkmalpflegerischen Behandlung wird das Gebäude mit einer ambulanten operativen Augenarztpraxis, Büronutzungen und Wohnungen genutzt.

Wegen der beinahe vollständig überlieferten bauzeitlichen Fassung aller Bauelemente und Ausstattungen legte das zuständige Landesamt für Denkmalpflege hohen Wert darauf, dass die wertvolle Bausubstanz nur äußerst gering beeinträchtigt wird und auch die erforderlichen brandschutztechnischen Maßnahmen lediglich der Vermeidung von konkreten Gefahrensituationen dienen dürfen.

Aus Bild 38 ist ein Systemgrundriss der Büronutzungen zu entnehmen. Um die Anforderungen an die vollständig vorhandenen bauzeitlichen Türen und die restauratorisch nachgewiesenen Raumfassungen begrenzen zu können, wurde aus brandschutztechnischer Sicht jedes Bürogeschoss als eine Nutzungseinheit mit einer Größe von nahezu 400 m^2 Brutto-Grundfläche betrachtet. Somit konnte auch die Ausbildung eines notwendigen Flurs entfallen. Weder die wertvollen Türen mussten daher beschädigt noch Abschottungen in die Trennwände eingebaut werden (s. Bild 39 und Bild 40).

Bild 38: Systemgrundriss Büroetage (Nutzungseinheit)

Bild 39: Blick in den Gang der Nutzungseinheit ohne notwendigen Flur

Bild 40: Tür ohne Nachrüstung innerhalb der Nutzungseinheit

Die Türen zu den beiden bauzeitlichen Treppenräumen wurden aufgearbeitet und waren bereits bauzeitlich derart präzise gebaut, dass auf den Einbau von zusätzlichen Dichtungen verzichtet werden konnte (s. Bilder 41 bis 43). Der Abweichung von der Notwendigkeit einem neu einzubauenden rauchdichten und selbstschließenden Öffnungsabschluss gemäß der geltenden ThürBO [86] zur Nutzungseinheit > 200 m² konnte daher aus brandschutztechnischer Sicht zugunsten des denkmalpflegerischen Belanges stattgegeben werden; sicherlich eine gebäudeorientierte Einzelentscheidung, die von Fall zu Fall und im Detail reiflich abgewogen werden muss. Standardlösungen gibt es in Anbetracht der reichhaltigen Ausführungsmöglichkeiten bei Baudenkmalen ohnehin kaum. Wichtig ist es auch, bereits in der Konzeptphase geeignete Handwerker zu Rate zu ziehen, um den tatsächlich geeigneten Umgang mit dem jeweiligen Bauteil bestimmen zu können. Nicht jede historische Tür verträgt den Einbau von nachträglichen Dichtungen. Im schlimmsten Fall verschlimmert sich sogar deren Dichtheit bzw. Schließwirkung und das kann nun wirklich niemand wollen.

Bild 41: Tür zum Haupttreppenraum

Bild 42: Detail Tür

Bild 43: Detail Tür

Als besonders günstig hat sich für die brandschutztechnische Beurteilung des Gebäudes aus denkmalpflegerischer Sicht das Vorhandensein von zwei baulichen Rettungswegen für alle größeren Nutzungseinheiten dargestellt; der zweite Rettungsweg war bauzeitlich bereits mit Ausnahme der hölzernen Sockelleisten als massive Betontreppe errichtet worden, während der herrschaftliche Haupttreppenraum eine gestalterisch aufwendige hölzerne Treppe hat (s. Bild 44 und Bild 45). Daher konnte dem weitgehenden Verzicht auf zusätzliche, die historischen Bauteile beeinträchtigende Brandschutzmaßnahmen auch durch die Brandschutzdienststelle zugestimmt werden; auch wenn diese gern den Anbau von Obertürschließern zu den Treppenräumen gesehen hätte.

Auch die Türen zu dem Kellergeschoss konnten teilweise in bauzeitlicher Fassung erhalten bleiben, weil überwiegend zwei bauliche Rettungswege vorhanden sind und alle Kellerräume mit einer höheren Gefährdung bzw. in dem Treppenraum, der für einige Nutzungseinheiten den einzigen baulichen Rettungsweg darstellt, mit feuerhemmenden und selbstschließenden Öffnungsabschlüssen versehen wurden (s. Bild 47).

Durch die Betrachtung der gesamten Büroetage als Nutzungseinheit entfiel – wie bereits oben erwähnt – die Nachrüstung der bestehenden historischen Türen zu dichtschließenden gegenüber einem notwendigen Flur. In Bild 48 sind die brandschutztechnischen Konsequenzen zu sehen, die sich ergeben hätten, wenn die Brandschutzplanung auf einem „klassischen" notwendigen Flur beharrt hätte. Insbesondere wären alle inneren Bürotüren zu ertüchtigen gewesen (s. Bild 40).

Bild 44: Hölzerne Haupttreppe

Bild 45: Zweite historische Betontreppe

Bild 46: Jugendstilverglasung, zu öffnen für Entrauchung im Brandfall

Bild 47: Neue Tür zum Kellergeschoss

Bild 48: Ungünstigere Alternativplanung mit notwendigem Flur

Umbau und Erweiterung eines Bürogebäudes

Bei dem Gebäudekomplex in der Innenstadt von Gera handelt es sich um einen Gebäudekomplex, der überwiegend Bürozwecken dienend zu einem Justizzentrum umgebaut wurde. Die innerstädtische Brache des ehemals weiträumigen Postgeländes im Sanierungsgebiet der Innenstadt Geras wurde mit der Funktion eines Justizzentrums revitalisiert. Unter weitgehender Nutzung der größtenteils unter Denkmalschutz stehenden Gebäudesubstanz wurden die Gebäude instandgesetzt und umgebaut.

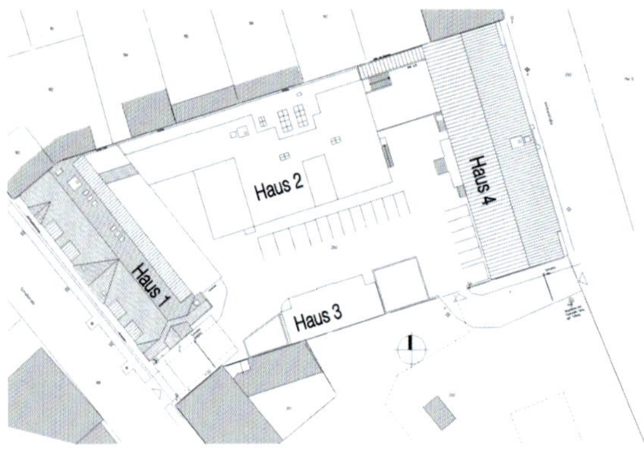

Bild 49: Lageplan

Bild 50: Außenansicht des Hauses 1

Im Folgenden soll das Bürogebäude „Haus 1" näher betrachtet werden. Die Ausdehnung des Hauptgebäudes beträgt etwa 45 m × 18 m und überschreitet damit zunächst die bauordnungsrechtliche maximale Länge von 40 m. Das Gebäude war in die Gebäudeklasse 5 einzuordnen (s. Bild 51).

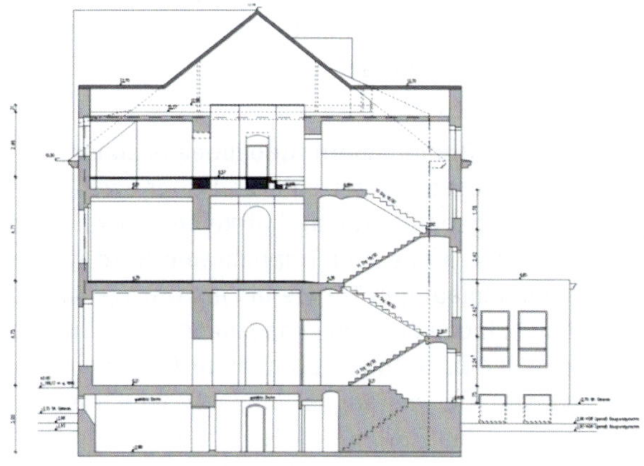

Bild 51: Gebäudeschnitt

Das betrachtete Gebäude wurde als Postgebäude errichtet und diente seither diesem Zweck. Durch die vorgesehene Erweiterung und die durchzuführende Risikoanalyse war die Erstellung eines gebäude- und schutzzielorientierten Brandschutzkonzeptes erforderlich geworden. Die Nutzungen des Gebäudes reichen von Archivierung und Technik im Kellergeschoss über die weitere Nutzung durch ein Servicecenter der Post im Erdgeschoss bis hin zu Büronutzungen durch verschiedene Einrichtungen der Thüringer Justiz. Das Dachgeschoss beherbergt seit dem Umbau die Bibliothek des Justizzentrums.

Die Konstruktion des Bestandsgebäudes hat folgende Aufbauten:

- Tragende Wände: Mauerwerk, im 2. OG und DG anteilig Fachwerk
- Außenwände: Mauerwerk (Natursteinmauerwerk)
- Dach: geneigtes Dach mit harter Bedachung
- Innenwände: Trockenbau, Mauerwerk
- Decken: im KG Ziegelgewölbe- bzw. Stahlbetondecken, in Obergeschossen teilweise Steindecken bzw. Holzbalkendecke (Unterseite geputzt, Oberseite mit neu aufzubringendem Trockenestrich)
- Unterstützungs- und Tragkonstruktion der Decken durch Unterzüge (geputzt)
- Massivtreppen (Steintreppen).

Das Justizzentrum befindet sich in unmittelbarer Zentrumslage. Die Stadt Gera hat eine Berufsfeuerwehr. Die entsprechende feuerwehrtechnische Ausstattung ist dementsprechend vorhanden. Als Löschwassermenge für das Gebäude war zunächst gemäß dem zur Sanierungszeit geltenden DVGW-Arbeitsblatt W 405 [87] ein Volumenstrom von 96 m^3/h für zwei Stunden erforderlich. Da sich die vorgesehene Funktion nach Art und Maß der baulichen Nutzung in die nähere Umgebung einfügt, konnte ohne erneute Überprüfung davon ausgegangen werden, dass das vorhandene Löschwasser auch für das Justizzentrum ausreicht (s. dazu [88], eine besondere Gefährdung liegt nicht vor.

Der historische Bau ist im Bestand mit Brandmauern (Gebäudeabschlusswänden) von der nördlich angrenzenden Bebauung getrennt und über zwei Treppenräume zu erschließen. Der neu eingebaute Aufzug hat keine Relevanz für das Verlassen des Gebäudes im Gefahrenfalle. Der Treppenraum Nord wurde im 2. Obergeschoss mit einer neuen einläufigen Treppe bis ins Dachgeschoss weitergeführt. Dort erfolgte auch der Einbau eines Rauchabzuges. Diese Treppe dient als Rettungsweg für sich in der Bibliothek aufhaltende Personen (ein Dauerarbeitsplatz, ca. vier Leseplätze). Der weitere Rettungsweg wird über die Treppe im mittleren Gebäudebereich in den Flurbereich des 2. Obergeschosses realisiert. Somit stehen in allen Geschossen zwei bauliche Rettungswege zur Verfügung.

Die genutzten Räumlichkeiten gelten als ständig benutzt. Eine Nutzung erfolgt hauptsächlich durch Personen, die mit den Räumlichkeiten vertraut sind. Eine vollflächige Brandmeldeanlage (BMA) zur frühzeitigen Erkennung von Bränden wurde nicht als erforderlich eingeschätzt. Entsprechend den Nutzervorgaben lagen keine erhöhten Brandlasten und gesonderten Schutzziele vor.

Die brandschutztechnischen Anforderungen an die jeweiligen Bauteile und Anlagen wurden in einer umfassenden Beurteilungstabelle zusammengestellt (s. Tabelle 6).

Alle Rettungswege waren gemäß der Berufsgenossenschaftlichen Vorschrift A8 zu kennzeichnen; die Flucht- und Rettungspläne wurden gemäß DIN 4844-3 [89] erstellt und an geeigneten Stellen ausgehängt. In Absprache mit der örtlichen Feuerwehr wurden Feuerwehrpläne nach DIN 14095 [90] ausgearbeitet. Für das Justizzentrum Gera wurde im Einvernehmen mit der Brandschutzdienststelle eine Brandschutzordnung nach DIN 14096 [91] aufgestellt, die das Verhalten zur Brandvermeidung, das Verhalten im Brandfall sowie zur Brandbekämpfung regelt. Alle Mitarbeiter wurden über diese Brandschutzordnung in Kenntnis gesetzt, darüber hinaus finden mindestens einmal jährlich wiederkehrende Unterweisungen statt, über die entsprechende Nachweise zu führen sind. Die sicherheitstechnischen Einrichtungen und Anlagen sind durch Fachfirmen gemäß den Errichter- bzw. Herstellerangaben zu warten und instand zu halten.

Die brandschutztechnischen Anforderungen wurden in Brandschutzplänen visualisiert und der architektonischen Ausführungsplanung zugrunde gelegt (s. Bilder 52 bis 56).

Bild 52: Grundriss Kellergeschoss

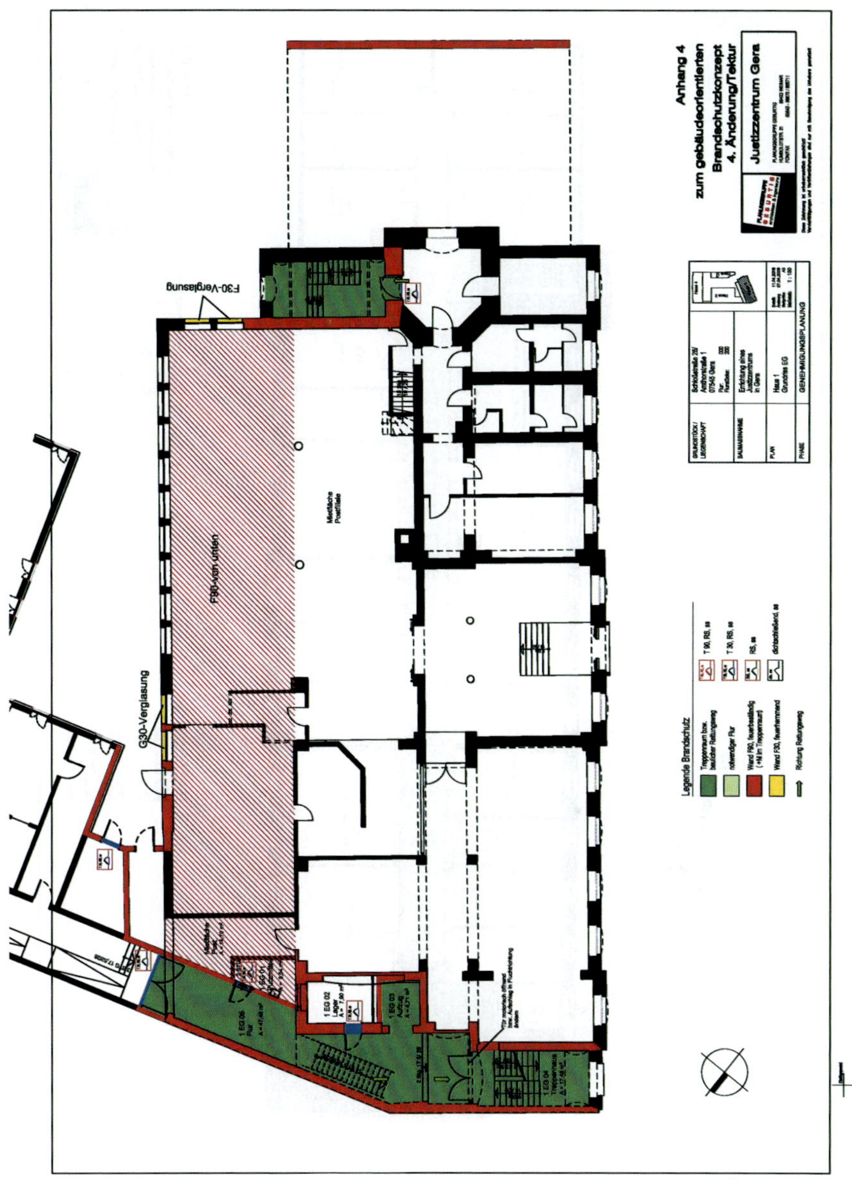

Bild 53: Grundriss Erdgeschoss

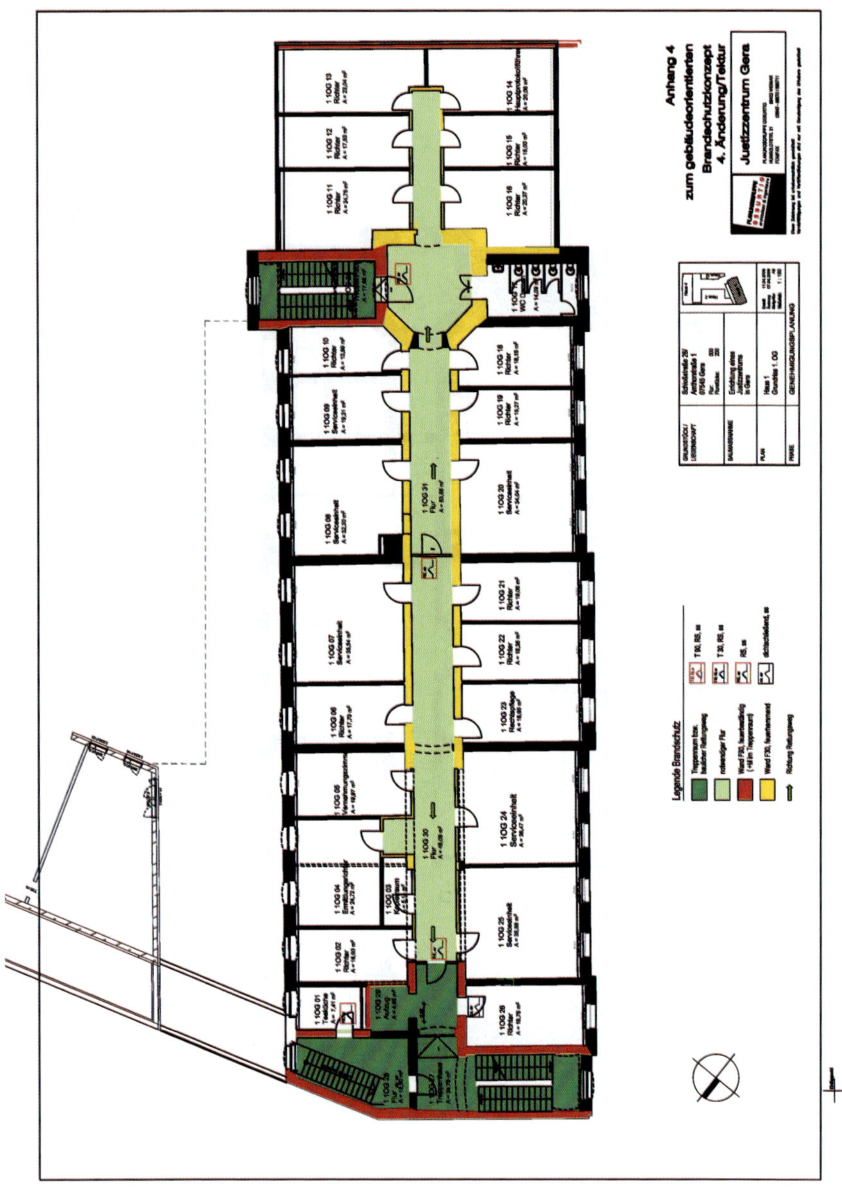

Bild 54: Grundriss 1. Obergeschoss

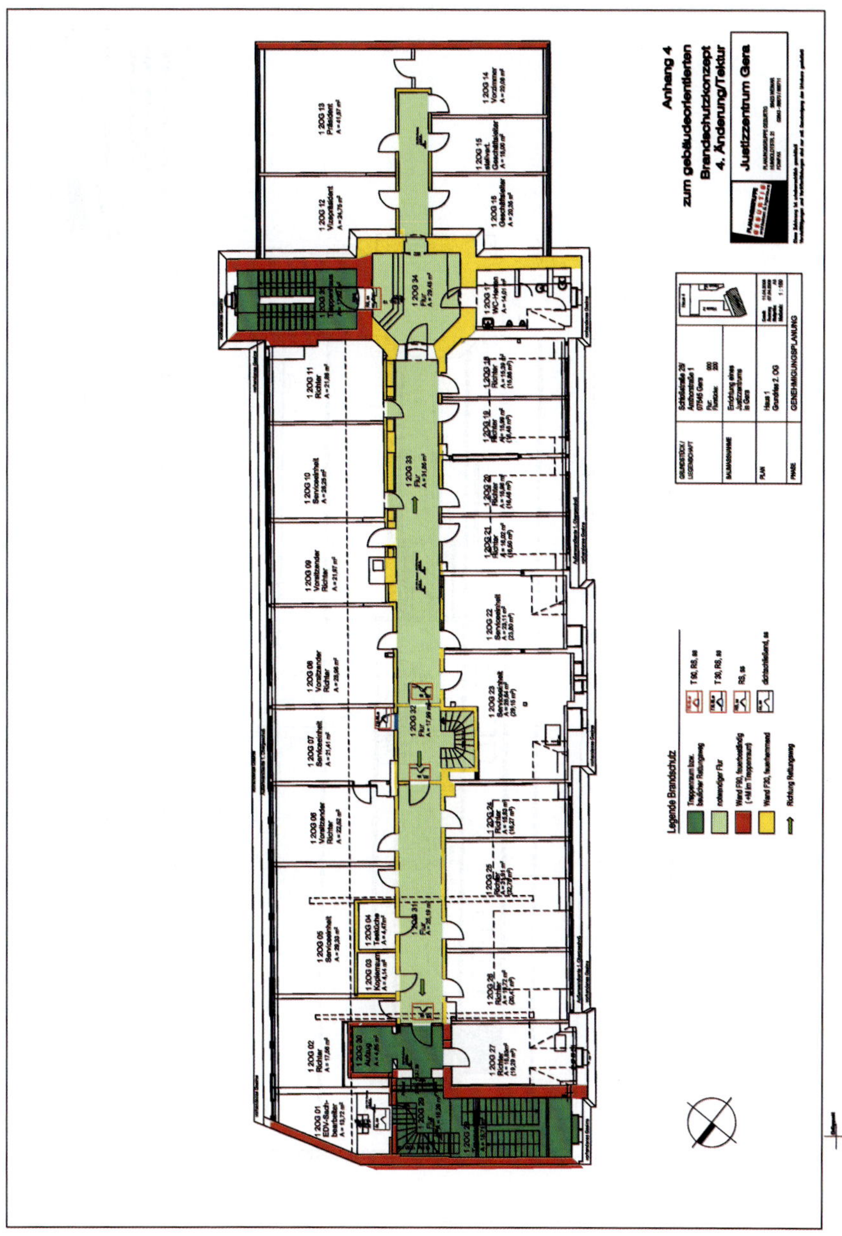

Bild 55: Grundriss 2. Obergeschoss

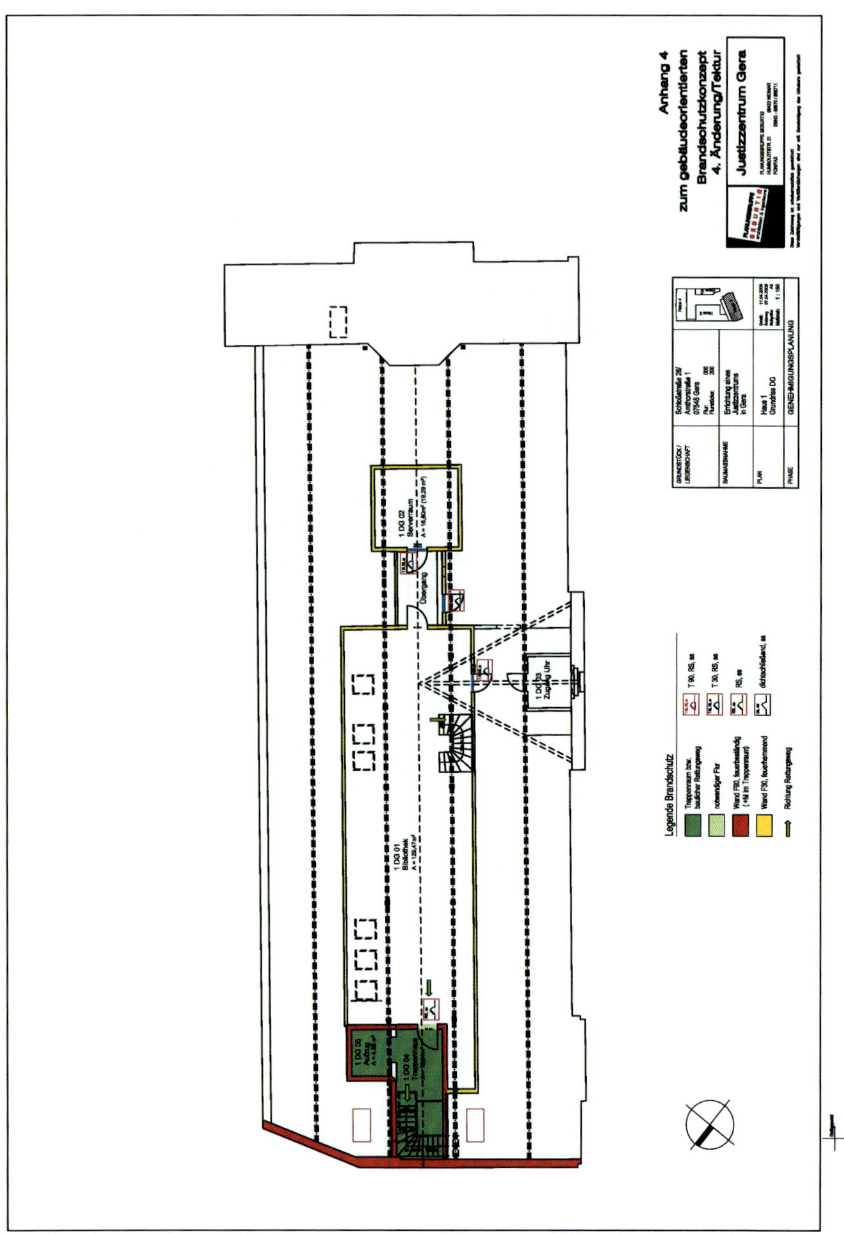

Bild 56: Grundriss Dachgeschoss

Tabelle 6: Beurteilungstabelle über die brandschutztechnischen Anforderungen

Lfd. Nr.	§ ()	Forderung	Planung/ Bestand	Bemerkung
1	**Brandschutz, allgemein**			
1.1	3 (1) ThürBO	Anlagen sind so anzuordnen, zu errichten, zu ändern und instand zu halten, dass die öffentliche Sicherheit oder Ordnung, insbesondere Leben, Gesundheit und die natürlichen Lebensgrundlagen, nicht gefährdet werden.	gewährleistet	Übernahmeverpflichtung durch Eigentümer/ Betreiber
1.2	5 (1) ThürBO	Von öffentlichen Verkehrsflächen ist insbesondere für die Feuerwehr ... ein geradliniger Zu- oder Durchgang zu schaffen. Ist für die Personenrettung der Einsatz von Hubrettungsfahrzeugen notwendig, sind die dafür erforderlichen Aufstell- und Bewegungsflächen vorzusehen.	gewährleistet	Anleiterflächen ständig frei halten, konkrete Zufahrtsmöglichkeiten mit Einsatzkräften im Rahmen der Ausführungsplanung festlegen
1.3	17 (1) ThürBO	der Entstehung eines Brandes und der Ausbreitung von Feuer und Rauch vorbeugen und bei einem Brand die Rettung von Menschen und Tieren sowie wirksame Löscharbeiten ermöglichen	gewährleistet unter Berücksichtigung aller formulierten Kompensationsmaßnahmen und Ertüchtigungen	
1.4	26 (1) ThürBO	Verbot von leichtentflammbaren Baustoffen	gewährleistet	
1.5	44 ThürBO	Blitzschutzanlage (entsprechend Bauart, Lage oder Nutzung)	gewährleistet	Planung durch Fachplaner

Lfd. Nr.	§ ()	Forderung	Planung/ Bestand	Bemerkung
2	**Tragende Wände, Stützen**			
2.1	26 a (1) und (2) ThürBO	feuerbeständig, im Dachraum nur, wenn darüber noch Aufenthaltsräume möglich sind; in Kellergeschossen feuerbeständig	**nicht gewährleistet** durch Bestandsgebäude, keine konkreten Angaben zur Ausführung der inneren tragenden Holzständerwände und -balkendecken, nach DIN 4102-4: 1994-03 und Einschätzung der Konstruktion: F 30-B vorhanden, Stahlträger im KG brandschutztechnisch bekleiden	**Abweichung**, bestehendes Holztragwerk gem. Bestand belassen, vollständig die unterseitige Putzdeckung belassen bzw. Fehlstellen mit GK-Platten bekleiden, wegen weiterer zusätzlicher Festlegungen und für dieses konkrete Gebäude vertretbar
3	**Außenwände/Trennwände**			
3.1	27 (2) ThürBO	Nicht tragende Außenwände und nicht tragende Teile tragender Außenwände sind aus nichtbrennbaren Baustoffen oder mindestens feuerhemmend herzustellen.	gewährleistet	
3.2	27 (3) ThürBO	Oberflächen von Außenwänden ... einschl. Dämmstoffe: schwerentflammbare Baustoffe	gewährleistet	
3.3	28 (3) ThürBO	Trennwände ... müssen die Feuerwiderstandsfähigkeit der tragenden und aussteifenden Bauteile des Geschosses haben, jedoch mindestens feuerhemmend sein.	gewährleistet	Trennwände bestehen zwischen den unterschiedlichen Mietvertragsparteien Justiz, Telekom, Post.

Lfd. Nr.	§ ()	Forderung	Planung/ Bestand	Bemerkung
4	**Brandwände**			
4.1	29 (2) ThürBO	zum Abschluss von Gebäuden, zur Unterteilung ausgedehnter Gebäude im Abstand von 40 m, feuerbeständig auch unter zusätzlicher mechanischer Beanspruchung, bis 30 cm über Dachhaut ohne Hinwegführen brennbarer Teile	**nicht gewährleistet**	**Abweichung**, keine Trennung zwischen den Gebäuden 1 und 2, z. T. jedoch nur geringfügige Überschreitung der 40-m-Grenzwerte, alternative Ausweisung von Wandbereichen in feuerbeständiger Ausführung mit entsprechenden Türqualifizierungen im Verbindungsbau zwischen Haus 1 und Haus 2, Ausbildungen im Altbaubereich auf Grund der kurzen Rettungsweglängen und der Funktion vertretbar
5	**Decken**			
5.1	30 (1) ThürBO	feuerbeständig, im Dachraum nur, wenn darüber noch Aufenthaltsräume möglich sind; in Kellergeschossen feuerbeständig	**nicht gewährleistet** im Bestandsgebäude, keine konkreten Angaben zur Ausführung der Holzbalkendecken nach DIN 4102-4: 1994-03, tragende Konstruktion F 30-B eingeschätzt	**Abweichung**, Holztragwerk F 30-B gewährleistet, wegen weiterer Ausbildung des Gebäudes und unter Berücksichtigung der konkreten Nutzung vertretbar, Festlegung in Ausführungsplanung

Lfd. Nr.	§ ()	Forderung	Planung/ Bestand	Bemerkung
5.2	30 (4) ThürBO	Öffnungen in Decken unzulässig (aber möglich in einer Nutzungseinheit < 400 m² in max. zwei Geschossen); können gestattet werden, wenn die Öffnungen mit Abschlüssen versehen werden, die die gleiche Feuerwiderstandsdauer wie die Decke besitzen	**nicht gewährleistet** (in Bezug auf Forderung feuerbeständig in Bereichen der Aufzugsdurchführung Haus 1 (innerhalb des Flures – Öffnungsverschlüsse mind. in T 30-Ausführung)	**Abweichung**, Öffnungen für Aufzüge als Durchsetzung des Betreiberkonzeptes unter Wahrung der ausgeführten Brandschutzmaßnahmen vertretbar
6	**Dächer**			
6.1	31 (1) ThürBO	harte Bedachung	gewährleistet	
6.2	31 (7) ThürBO	Dächer von Anbauten, die an Außenwände mit Öffnungen ... anschließen, müssen innerhalb eines Abstandes von 5 m ... für einen Brandübergang von innen nach außen ... die Feuerwiderstandsfähigkeit der Decken haben.	gewährleistet	
7	**Treppen**			
7.1	32 (1) ThürBO	Jedes nicht zu ebener Erde liegende Geschoss muss über eine notwendige Treppe erreichbar sein.	gewährleistet	
7.2	32 (3) ThürBO	Notwendige Treppen sind in einem Zuge zu allen angeschlossenen Geschossen zu führen.	gewährleistet	Dachgeschoss (Bibliothek) mit eingeschränkter Personenzahl weist zusätzliche Treppe zur Treppe im Treppenraum Nord aus
7.3	32 (4) ThürBO	Tragende Teile notwendiger Treppen müssen feuerhemmend und aus nichtbrennbaren Baustoffen ausgebildet sein.	gewährleistet	

Lfd. Nr.	§ ()	Forderung	Planung/ Bestand	Bemerkung
7.4	32 (5) ThürBO	In der Breite für den größten zu erwartenden Verkehr ausreichend, Mindestbreite 1 m	gewährleistet	
7.5	32 (6) ThürBO	fester und griffsicherer Handlauf, beidseitig, wenn Verkehrssicherheit dies erfordert	gewährleistet	Handlauf an einer Seite ausreichend
7.6	36 (4) ThürBO	Höhe des Treppengeländers mindestens 0,9 m	gewährleistet	durch Ausführung sicherstellen
8	**Treppenräume und Ausgänge**			
8.1	33 (1) ThürBO	Jede notwendige Treppe muss im eigenen Treppenraum liegen. (Verbindung von Geschossen innerhalb von zwei Geschossen bei Nutzungseinheit < 200 m^2 ... sind notwendige Treppen ohne Treppenraum zulässig)	gewährleistet	
8.2	33 (2) ThürBO	max. Rettungsweglänge 35 m in notwendigen Treppenraum oder ins Freie	gewährleistet	
8.3	33 (3) ThürBO	Jeder notwendige Treppenraum muss an einer Außenwand liegen und einen unmittelbaren Ausgang ins Freie haben, innenliegende Treppenräume können gestattet werden, wenn ihre Nutzung durch Raucheintritt nicht gefährdet werden kann, Raum zwischen Treppenraum und dem Ausgang muss Wände in der Art von Treppenraumwänden und rauchdichte selbstschließende Abschüsse zu notwendigen Fluren haben, keine Öffnungen zu anderen Räumen	gewährleistet	

Lfd. Nr.	§ ()	Forderung	Planung/ Bestand	Bemerkung
8.4	33 (4) ThürBO	Wände notwendiger Treppenräume in Bauart von Brandwänden, auch unter zusätzlicher mechanischer Beanspruchung, (nicht erforderlich für Außenwände von Treppenräumen, die aus nichtbrennbaren Baustoffen bestehen und durch andere an diese Außenwände anschließende Gebäudeteile im Brandfall nicht gefährdet werden). Der obere Abschluss muss die Feuerwiderstandsfähigkeit der Decken des Gebäudes haben – gilt nicht, wenn der obere Abschluss das Dach ist und die Treppenraumwände bis unter die Dachhaut reichen.	dahingehend **nicht gewährleistet**, dass die Treppenraumwände nicht über Dach geführt werden	**Abweichung**, Sonderkonstruktion für beiderseitig auskragende feuerbeständige Platte im Rahmen der Ausführungsplanung festlegen und bestätigen lassen
8.5	33 (5) ThürBO	In Treppenräumen ... Bekleidungen nichtbrennbar sowie Bodenbeläge mindestens schwerentflammbar	gewährleistet	
8.6	33 (7) ThürBO	Beleuchtungsmöglichkeit	gewährleistet	Übernahme in Elektroprojekt
8.7	33 (8) ThürBO	Belüftungsmöglichkeit notwendiger Treppenräume auf jedem Geschoss durch ins Freie führende Fenster mit einem freien Querschnitt von mindestens 0,50 m^2	gewährleistet	

Lfd. Nr.	§ ()	Forderung	Planung/ Bestand	Bemerkung
9	**Fenster, Türen**			
9.1	33 (6) ThürBO	Öffnungen in notwendigen Treppenräumen ... zu Kellergeschossen und nicht ausgebauten Dachräumen, Werkstätten, Lager- und ähnlichen Räumen sowie zu sonstigen Räumen und Nutzungseinheiten mit einer Fläche von mehr als 200 m², ausgenommen Wohnungen, mindestens feuerhemmend, rauchdicht und selbstschließend (T 30 RS ss), zu notwendigen Fluren rauchdichte und selbstschließende Abschlüsse, zu sonstigen Räumen und Nutzungseinheiten mindestens dicht- und selbstschließende Abschlüsse, Feuerschutz- und Rauchschutzabschlüsse dürfen lichtdurchlässige Seitenteile und Oberlichte, nicht breiter als 2,50 m, enthalten.	gewährleistet	Übernahme in Ausführungsplanung
9.2	§ 35 (5) ThürBO	Fenster des 2. Rettungsweges: > 0,90 × 1,20 m i. L., BH max. 1,20 m	gewährleistet, im 2. Obergeschoss nach konkreter Feststellung der konstruktiven Möglichkeiten im Altbaubereich einschätzbar	2. Rettungsweg wird generell über den zweiten Treppenraum bzw. durch möglichen Übergang ins Haus 2 gewährleistet

Lfd. Nr.	§ ()	Forderung	Planung/ Bestand	Bemerkung
10	**Haustechnische Anlagen und Feuerungsanlagen, Alarmierungseinrichtungen, Brandmeldeanlagen, Sicherheitsstromversorgung**			
10.1	38 (1) ThürBO	Leitungen dürfen durch raumabschließende Treppenraumwände, Trennwände und Decken ... nur hindurchgeführt werden, wenn eine Übertragung von Feuer und Rauch nicht zu befürchten ist oder Vorkehrungen dagegen getroffen sind.	gewährleistet	Ausführungsplanung nach LAR, Herstellerrichtlinien
10.2	39 (2) ThürBO	Lüftungsleitungen sowie deren Verkleidungen und Dämmstoffe müssen aus nichtbrennbaren Baustoffen bestehen.	gewährleistet	Ausführungsplanung nach bauaufsichtlichen Richtlinien ... über Anforderungen an Lüftungsanlagen, Badlüftung nach DIN 18017 bzw. der gültigen Lüftungsanlagenrichtlinie
10.3	40 (2) ThürBO	Feuerstätten ... dürfen nur in Räumen aufgestellt werden, bei denen ... Gefahren nicht entstehen.	gewährleistet	
11	**Aufzüge**			
11.1	37 (1) ThürBO	Aufzüge im Innern von Gebäuden müssen eigene Fahrschächte haben; Aufzüge ohne eigene Fahrschächte sind zulässig 1. innerhalb eines notwendigen Treppenraumes, ausgenommen in Hochhäusern, ...	gewährleistet	

Lfd. Nr.	§ ()	Forderung	Planung/ Bestand	Bemerkung
11.2	37 (2) ThürBO	Fahrschachtwände ... als raumabschließende Bauteile 1. in Gebäuden der Gebäudeklasse 5 feuerbeständig und aus nichtbrennbaren Baustoffen, ...	gewährleistet	
11.3	37 (3) ThürBO	Fahrschächte ... müssen zu lüften sein und eine Öffnung zur Rauchableitung mit einem freien Querschnitt von mindestens 2,5 vom Hundert der Fahrschachtgrundfläche, mindestens jedoch 0,10 m^2 haben.	gewährleistet	
12	**Feuerlöscheinrichtungen**			
12.1	Arb-StättV § 13	Ausstattung mit Feuerlöschern und Rettungsgeräten	gewährleistet	Ausstattung nach BGR 133
13	**Sicherheitskennzeichnung**			
13.1	BGVA 8	Sicherheitszeichen	gewährleistet	Ausführung in Zusammenhang mit Erstellung der Elektroplanung bzw. der Flucht- und Rettungswegpläne (F+R-Pläne)
14	**Sonstiges**			
14.1		Brandschutzordnung erstellen, Flucht- und Rettungswegeplan erstellen, wiederholende Einweisung des Personals	gewährleistet	Übernahme der Forderung durch Bauherr/Nutzer: Erstellung der Bestandteile der Brandschutzordnung mit Einweisung des Personals sowie der jeweiligen F+R-Pläne und entsprechender Aushang

6 Anhänge

6.1 Checkliste für brandschutztechnische Risikoanalyse

Diese Checkliste dient einer detaillierten Risikoanalyse von brandschutztechnisch relevanten Bau- bzw. Anlagenteilen von denkmalgeschützten Wohn- und Bürogebäuden. In ihr werden der brandschutztechnische Zustand der Bauelemente sowie die Einschätzung des Ausmaßes erforderlicher Abweichungen und Nachrüstungen erfasst. Sie dient sowohl der brandschutztechnischen Risikoanalyse sowie als Grundlage für die brandschutztechnische Planung.

Erläuterungen zur Handhabung der Tabelle:

Spalte A: Bauaufsichtliche Forderungen, Sonderbaurichtlinien	+ = eingehalten A = Abweichung ? = nicht feststellbar x = nicht vorhanden
Spalte B: Brandschutz der Bauteile und -elemente	+ = gewährleistet P = potenzielle Gefahr R = reale Gefahr ? = nicht feststellbar x = nicht vorhanden D = Berücksichtigung Denkmalschutz
Spalte C: Handlungsbedarf	+ = keine Nachrüstung erforderlich 0 = Nachrüstung empfehlenswert (z. B. assekuranziell) N = Nachrüstung notwendig AA = Abweichungsantrag erforderlich

Anmerkung:

Das Feststellen einer Abweichung hat zur Folge, dass eine Gefahrensituation in eine potenzielle bzw. reale zu unterscheiden ist. Danach kann dann der Handlungsbedarf für die weitere Planung ermittelt werden; entweder genügt ein Abweichungsantrag beim Vorliegen einer potenziellen Gefahr, oder es ist eine Nachrüstung wegen einer realen Gefahr notwendig.

1. Brandschutz allgemein

a)	Allgemeine Einschätzung	A	B	C
	....			
b)	Beurteilungskriterien:			
	Öffentliche Sicherheit/Abstandsflächen			
	Feuerwehrzufahrten			
	Aufstell- und Bewegungsflächen für die Feuerwehr			
	Gebäude gemäß Baugenehmigung errichtet/instand gehalten/modernisiert? Baugenehmigungs-Nummer/Aktenzeichen:			
	Abweichungen während der bisherigen Baugenehmigungsverfahren beantragt? Wenn ja, welche?			

2. Tragende Wände und Bauteile

a)	Anmerkungen	A	B	C
	....			
b)	Beurteilungskriterien:			
	Anforderung an tragende Wände und Stützen im Kellergeschoss			
	Anforderungen an tragende Wände und Stützen im Erdgeschoss			
	Anforderungen an tragende Wände und Stützen im 1. bis ... Obergeschoss			
	Anforderungen an tragende Wände und Stützen im Dachgeschoss			
c)	Welche ergänzenden Untersuchungen erforderlich?			

3. Außenwände und Stützen

a)	Anmerkungen	A	B	C
	--			
b)	Beurteilungskriterien:			
	Nichttragende Außenwände und nichttragende Teile tragender Außenwände aus nichtbrennbaren oder mindestens feuerhemmenden Baustoffen			
	Oberflächen von Außenwänden einschl. Dämmstoffe aus schwer entflammbaren Baustoffen			
	Trennwände haben die Feuerwiderstandsfähigkeit der tragenden und aussteifenden Bauteile des jeweiligen Geschosses oder sind mindestens feuerhemmend			
c)	Welche ergänzenden Untersuchungen erforderlich? --			

4. Brandwände und -mauern

a)	Bestehend aus	A	B	C
	--			
b)	Beurteilungskriterien:			
	Erforderliche Brandwände zum Abschluss von Gebäuden, zur Unterteilung ausgedehnter Gebäude im Abstand von 40 m, feuerbeständig – auch unter zusätzlicher mechanischer Beanspruchung, bis 30 cm über Dachhaut ohne darüber Hinwegführen brennbarer Teile			
	Zulässigkeit feuerhemmender, rauchdichter und selbstschließender Türen in Öffnungen gemäß Landesbauordnung zulässig			
	Kriterien und Abstand gemäß Landesbauordnung für Brandwände bei Gebäuden oder Gebäudeteilen, die über Eck zusammenstoßen			
	Zulässigkeit von Öffnungen bzw. Öffnungsverschlüssen gemäß Landesbauordnung			
c)	Welche zusätzlichen Untersuchungen erforderlich? --			

5. Decken

a)	Bestehend aus	A	B	C
	--			
b)	Beurteilungskriterien:			
	Brandschutzklassifikation der Decke über Kellergeschoss			
	Brandschutzklassifikation der Decke über Erd- bis ... Obergeschoss			
	Zulässigkeit von Öffnungen gemäß Landesbauordnung			
c)	Welche zusätzlichen Untersuchungen erforderlich? --			

6. Dächer

a)	Konstruktionsart	A	B	C
	--			
b)	Beurteilungskriterien:			
	Harte Bedachung			
	Weiche Bedachung			
	Zulässigkeit von lichtdurchlässigen Bedachungen, Lichtkuppeln und Oberlichtern gemäß Landesbauordnung			
	Feuerwiderstand der Dächer von Anbauten, die an Außenwände mit Öffnungen oder ohne Feuerwiderstandsfähigkeit anschließen			
c)	Welche Untersuchungen erforderlich? --			

7. Treppen

a)	Konstruktionsart	**A**	**B**	**C**
	--			
b)	Beurteilungskriterien:			
	Jedes nicht zu ebener Erde liegende Geschoss ist über eine notwendige Treppe zu erreichen			
	Notwendige Treppen sind in einem Zuge zu allen angeschlossenen Geschossen zu führen			
	Feuerwiderstand der tragenden Teile notwendiger Treppen gemäß Landesbauordnung			
	Verwendung brennbarer Materialien			
	Breite reicht für den größten zu erwartenden Verkehr aus			
	Handläufe für erforderliche Verkehrssicherheit geeignet Höhe der Umwehrung (Treppengeländer) mindestens 0,9 m, bei Absturzhöhe $<$ 12 m			
	Nutzbare Breite, Ausbildung des Laufes, der Tritt- und Setzstufen gemäß Landesbauordnung bzw. Sonderbaurichtlinie gewährleistet			
	Geländer und Unwehrungen mind. 1 m, bei Absturzhöhe $>$ 12 m: Umwehrungshöhe 1,10 m			
c)	Welche Untersuchungen erforderlich? --			

8. Treppenräume und Ausgänge

a)	Örtliche Beurteilung	A	B	C
	--			
b)	Beurteilungskriterien:			
	Feuerwiderstand der Treppenraumwände gemäß Landesbauordnung			
	Verwendung brennbarer Materialien			
	Ausbaumaterialien im Treppenraum			
	Max. Rettungsweglänge 35 m in notwendigen Treppenraum oder ins Freie			
	Lage der notwendigen Treppenräume gemäß Landesbauordnung			
	Feuerwiderstand des oberen Abschlusses des Treppenraums			
	Bekleidungen in Treppenräumen nichtbrennbar sowie Bodenbeläge mindestens schwerentflammbar oder Hartholz			
	Beleuchtungsmöglichkeit			
	Belüftungsmöglichkeit notwendiger Treppenräume auf jedem Geschoss durch ins Freie führende Fenster mit einem freien Querschnitt gemäß Landesbauordnung			
c)	Untersuchungen erforderlich? --			

9. Fenster und Türen

a)	Bestehend aus	A	B	C
	--			
b)	Beurteilungskriterien:			
	Ausbildung von Öffnungen in notwendigen Treppenräumen gemäß Landesbauordnung Öffnungen – zu Kellergeschossen – zu nicht ausgebauten Dachräumen – Werkstätten, Lager- und ähnlichen Räumen sowie zu sonstigen Räumen und Nutzungseinheiten mit einer Fläche von mehr als 200 m^2 – zu notwendigen Fluren – zu sonstigen Räumen und Nutzungseinheiten			
	Fenster des 2. Rettungsweges: $> 0{,}90 \times 1{,}20$ m i. L.			
	Brüstungshöhe maximal 1,20 m			
	Abweichende Maße von Fenster oder Türen im Verlauf von Rettungswegen vorhanden? Wenn ja: Sind diese gemäß Landesbauordnung im Einzelfall zulässig? Detaillierte Beschreibung: --			

10. Rettungswege

a)	Örtliche Beurteilung	**A**	**B**	**C**
	--			
b)	Beurteilungskriterien:			
	Allgemeiner Zustand der Rettungswege gemäß Landesbauordnung			
	In jeder Nutzungseinheit sind mindestens zwei voneinander unabhängige Rettungswege ins Freie vorhanden (beide innerhalb des Geschosses über ein und denselben notwendigen Flur möglich).			
	Mindestens der erste Rettungsweg über eine notwendige Treppe, der zweite Rettungsweg über eine weitere notwendige Treppe oder eine mit Rettungsgeräten der Feuerwehr erreichbare Stelle der Nutzungseinheit			
	Ggf. erforderliche Hubrettungsfahrzeuge bei der zuständigen Feuerwehr vorhanden?			
	Anleiterversuch / Nachweis Erreichbarkeit 2. Rettungsweg erforderlich?			

11. Elektroinstallationen

a)	Bestehend aus	A	B	C
	--			
b)	Beurteilungskriterien:			
	Leitungen gemäß geltender Leitungsanlagen-Richtlinie verlegt bzw. erweitert			
	Für Durchführungen von Leitungen durch Treppenraumwände, Trennwände und Decken wurden Vorkehrungen getroffen, die eine Übertragung von Feuer und Rauch verhindern.			
	Leitungen sowie deren Verkleidungen und Dämmstoffe bestehen aus nichtbrennbaren Baustoffen.			
	Leitungen mit Funktionserhalt für sicherheitstechnisch relevante Anlagenanteile vorhanden			
	Blitzschutzanlagen			
c)	Welche Untersuchungen erforderlich? --			

12. Lüftungsanlagen

a)	Bestehend aus	A	B	C
	--			
b)	Beurteilungskriterien:			
	Lüftungsleitungen geltender Lüftungsanlagen-Richtlinie verlegt bzw. erweitert			
	Für Durchführungen von Lüftungsleitungen durch Treppenraumwände, Trennwände und Decken wurden Vorkehrungen getroffen, die eine Übertragung von Feuer und Rauch verhindern.			
	Lüftungsleitungen sowie deren Verkleidungen und Dämmstoffe bestehen aus nichtbrennbaren Baustoffen.			
	Notwendige Prüfsachverständigenabnahmen nach Landesverordnung liegen vor.			
c)	Welche Untersuchungen erforderlich? --			

13. Feuerungsanlagen

a)	Bestehend aus	A	B	C
	--			
b)	Beurteilungskriterien:			
	Feuerstätten in Räumen aufgestellt, bei denen Gefahren nicht entstehen			
	Vorhandene Schornsteine			
	Vorhandene (offene) Kamine			

14. Rauchabzüge/sonstige Entrauchungseinrichtungen

a)	Bestehend aus	A	B	C
	--			
b)	Beurteilungskriterien:			
	Vorhandene Rauchabzüge in Treppenräumen funktionstüchtig			
	Sonstige bauordnungsrechtlich erforderliche Rauchabzüge funktionstüchtig			
c)	Welche Untersuchungen erforderlich? --			

15. Alarmierungseinrichtungen

a)	Ausstattung vorhanden	A	B	C
	--			
b)	Beurteilungskriterien:			
	Vorhandene Hausalarmierung			
	Hausalarmierung oder anderweitige bauordnungsrechtlich geforderte Alarmierungsanlage, Telefone an den Alarmierungsstellen vorhanden			

16. Rauchwarnmelder/Brandmeldeanlagen

a)	Ausstattung vorhanden	A	B	C
	--			
b)	Beurteilungskriterien:			
	Rauchwarnmelder nach DIN 14676 vorhanden			
	Brandmeldeanlagen u. a. bei bereits vorgenommenen Erweiterungen oder Veränderungen vorhanden			
c)	Untersuchungen erforderlich? --			

17. Feuerlöscher/Löschanlagen

a)	Ausstattung vorhanden	A	B	C
	--			
b)	Beurteilungskriterien:			
	Ausstattung mit Feuerlöschern und Rettungsgeräten gemäß berufsgenossenschaftlichen Vorgaben			
	Ausstattung mit Löschanlagen gemäß Sonderbaurichtlinien			
	Vorhandene Löschanlagen			
c)	Untersuchungen erforderlich? --			

18. Rettungswegkennzeichnung

a)	Bestehend aus	A	B	C
	--			
b)	Beurteilungskriterien:			
	Sicherheitsbeleuchtung in den notwendigen Fluren, notwendigen Treppenräumen und fensterlosen Aufenthaltsräumen			
	Sicherheitszeichen			
	Sicherheitszeichen an Ausgängen zu notwendigen Treppenräumen oder ins Freie			
c)	Untersuchungen erforderlich? --			

19. Abnahmen während der bisherigen Nutzung

a)	Durchzuführen durch	**A**	**B**	**C**
	--			
b)	Beurteilungskriterien:			
	Sicherheitstechnisch relevante Bau- oder Anlagenteile wie – Feuerungsanlagen – Lüftungsanlagen – Elektrotechnische Anlagen – Rauchabzugsanlagen – Sicherheitskennzeichnung – Sicherheitsstromversorgung – Alarmierungseinrichtungen – Brandmeldeanlagen – Feuerlöscher/Löschanlagen – Brandwände, Ausbildung von Brand- oder Rauchabschnitten – Öffnungselemente			
	Erforderliche Abnahme mit dem Prüfingenieur für vorbeugenden Brandschutz			
	Erforderliche Abnahme mit der zuständigen Brandschutzdienststelle			
	Prüfungen im Einzelfall			
	Auflagen von Brandverhütungsschauen berücksichtigt/ durchgesetzt			

20. Wartungen

a)	Betroffene Elemente	A	B	C
	--			
b)	Beurteilungskriterien:			
	Turnusmäßig Wartung der Rauchabzüge/sonst. Entrauchungseinrichtungen			
	Turnusmäßige Inspektion der Lüftungsanlagen			
	Regelmäßige Wartung der Rauchwarnmelder/Brandmeldeanlage			
	Wenn erforderlich: Regelmäßige Überprüfung der Sicherheitsstromversorgung			
	Wenn erforderlich: Regelmäßige Überprüfung der Alarmierungseinrichtung			
	Turnusmäßige Wartung von Türen/bauaufsichtlich zugelassenen Feststellanlagen			

21. Sonstiges

a)	Besonderheiten des Gebäudes	A	B	C
	--			
b)	Beurteilungskriterien:			
	Brandschutzordnung			
	Feuerwehrpläne			
	Rettungswegepläne			
	Regelmäßige Einweisung und Schulung des Personals			
	Im Einzelfall erforderliche Prüfungen vor der ersten Inbetriebnahme sowie in den nach Herstellerrichtlinien geforderten Intervallen			

6.2 Auszug aus der Baupolizeiverordnung für den Stadtkreis Berlin vom 15. August 1897

Der nachfolgend abgedruckte Auszug aus der Baupolizeiverordnung kann zur Bestimmung der zur Errichtungszeit eines denkmalgeschützten Wohn- oder Bürogebäudes geltenden Vorschriften herangezogen werden. Es wurden die Regelungen für die Bauteile ausgewählt und für die heutige Beurteilung wertvolle Anmerkungen und Kommentare des Herausgebers Dr. jur. Constanz Baltz in den jeweiligen Fußnoten zusammengestellt. Bei den ausgewählten Anmerkungen entfiel die Auswahl auf erläuternde bzw. ergänzende Sachverhalte, die für die brandschutztechnische Beurteilung eines historischen Gebäudes von Bedeutung sein können. Es ist dabei zu beachten, dass wegen der besseren Übersichtlichkeit die Nummerierung der Fußnoten wegen einer Vielzahl nicht mehr zutreffender Kommentare vom Originaldokument abweicht.

Aus den Anmerkungen kann man für die heutige Beurteilung historischer Baukonstruktionen vor allem die bauzeitliche Zulässigkeit, die zum Zeitpunkt der Errichtung definierten Randbedingungen und die rechtlichen Grundlagen der jeweiligen Verwendbarkeit entnehmen. Somit ist es möglich festzustellen, ob der Einbau zur Bauzeit korrekt erfolgte oder bereits damals eine Abweichung vorlag. Außerdem lassen sich Zulässigkeiten von heute vorliegenden Abweichungen begründen, wenn der Einbau zur Errichtungszeit erlaubt war.

Bereits vor über 120 Jahren wurden die heute besonders aktuellen Themen des Brandschutzes bei bestehenden Gebäuden wie der Bestandsschutz von Öffnungen in Brandmauern, die speziellen Regelungen für den Umgang mit brennbaren Materialien, die Zulässigkeit bzw. die notwendigen Abstände von Öffnungen in Dächern, die Notwendigkeit und die Ausführung von baulichen Rettungswegen oder die Anforderungen an Decken erörtert. Es sind sogar exakte Vorgaben für den nach der Baupolizeiverordnung geforderten Aufbau von brandschutztechnisch relevanten Bauteilen zu entnehmen – Prüfnormen im heutigen Sinne gab es noch nicht –, anhand derer eine rückwirkende gerechte Beurteilung von Bestandskonstruktionen durchaus ermöglicht bzw. erleichtert wird.

Interessant dürften die Anmerkungen zudem auch aus baugeschichtlicher Sicht sein.

Insgesamt kann der Einblick in diese für die damalige Zeit moderne Bauordnung helfen, denkmalgeschützte Wohn- und Bürobauten besser zu verstehen.

Baupolizeiverordnung für den Stadtkreis Berlin vom 15. August 1897

– Auszug –

§ 6.
Konstruktion und Baustoffe.

1. Gebäude sind in allen Theilen nach den Regeln der Technik aus guten, zweckentsprechenden Baustoffen herzustellen.

2. Die Anforderungen, welche an die Festigkeit der Baustoffe zu stellen, die Zahlen, welche der Festigkeitsberechnung zu Grunde zu legen, die Belastungen, welche für den Baugrund und die einzelnen Gebäudetheile zulässig sind, sowie sonstige Konstruktionsvorschriften werden durch die Polizeibehörde, so oft und soweit sie es für erforderlich erachtet, bekannt[1] gemacht.

---

1 Auf Grund dieser Bestimmung bezw. des § 19 der B. P. O. vom 15. Januar 1887 hat das Polizeipräsidium bisher folgende Bekanntmachungen erlassen:

a) betr. die Verwendung gußeiserner Säulen:

Bekanntmachung vom 4. April 1884.

Das bauende Publikum wird hierdurch davon in Kenntniß gesetzt, daß das Polizei-Präsidium aus feuerpolizeilichen Gründen sich veranlaßt sieht, bei Prüfung und Genehmigung von Bauprojekten hinsichtlich der Verwendung gußeiserner Säulen nach folgenden Grundsätzen zu verfahren:

In Gebäuden, deren untere Geschosse zu Geschäfts- und Lagerzwecken und deren obere Geschosse zu Wohnzwecken benutzt werden, dürfen gußeiserne Säulen, welche gegen die unmittelbare Einwirkung des Feuers nicht geschützt sind, unter den Tragewänden des Hauses fernerhin keine Verwendung finden.

An Stelle derselben werden gestattet werden:

a) Säulen aus Schmiedeeisen (mit gluhtsicherer Umhüllung),

b) Säulen aus Gußeisen, sobald dieselben mit einem durch eine Luftschicht von der Säule isolierten, unentfernbaren Mantel von Schmiedeeisen umgeben sind,

c) Pfeiler aus Klinkern in Cementmörtel.

Berlin, den 4. April 1884.

Königliches Polizei-Präsidium.

(gez.) von Madai.

Von der gluhtsicheren Umhüllung wird bei den an den Gebäudefronten, insbesondere bei Schaufenstereinrichtungen zur Verwendung kommenden Säulen in der Regel abgesehen.

§ 7.
Massive Wände.

1. Die Umfassungswände[2] und die Decken tragenden Wände der Gebäude ebenso wie alle Vorbauten mit Ausnahme von Windfängen sind, soweit §§ 8 bis 10 nicht anderes bestimmen, massiv[3] herzustellen.

2. An Stelle der massiven Wände kann mit Rücksicht auf die örtlichen Verhältnisse und die Benutzungsart der Baulichkeiten die Ausführung in Eisenfachwerk oder Eisenwellblech zugelassen werden.

3. Wenn Gebäude unmittelbar an die Nachbargrenzen herantreten oder ihnen in weniger als 6 m Entfernung gegenüberliegen (§ 5 Ziffer 2), sind sie mit Brandmauern[4] abzuschließen, welche durchweg[5] wenigstens 0,25 m stark sein und

---

2 Daß ein jedes Gebäude, sofern nicht die Bestimmung in Ziffer 3 Platz greift, unbedingt Umfassungswände haben muß, ist daraus nicht zu folgern. Es ist daher die Genehmigung von offenen Schuppen aus Eisenkonstruktion, wie sie vielfach auf Lager- und Arbeitsplätzen errichtet werden, auch ohne Dispens zulässig. Dieselben fallen an sich nicht unter die in den §§ 8 und 9 behandelten Baulichkeiten, sondern sind Gebäude im Sinne des § 7.

3 Damit bringt das Gesetz zum Ausdruck, daß eine allgemeine und ausreichende Gewähr gegen Feuersgefahr durch eine andere als massive Bauart überhaupt nicht geboten wird. O. V. G. E. vom 23. März 1885 Pr. V. Bl. VI S. 272. Diese baurechtliche Norm schließt es aus, in den speziellen Baufällen noch besonders thatsächlich zu erörtern, ob die Zulassung von nicht massiven Wänden bei solchem Bau schädlich oder gefährlich ist. Der allgemeinen Vorschrift hat sich vielmehr der Bauherr in jedem Falle zu fügen. O. V. G. E. Bd. XIII S. 395. Unter massiver Herstellung ist lediglich die Herstellung aus Stein zu verstehen. Fachwerkswände sind in Massivbauten unzulässig.

4 Daß eine Brandmauer keine Oeffnungen haben darf, ergiebt sich aus dem Begriffe und Zwecke einer solchen ohne Weiteres. O. V. G. E. Bd. VI, S. 312, Pr. V. Bl., I, S. 257, XII, S. 584. Unter Oeffnungen sind auch Fenster und zwar in erster Linie zu verstehen. O. V. G. E. Bd. IV, S. 350, Bd. VI, S. 307, Pr. V. Bl. X, S. 249.

5 Demnach ist auch die Anbringung von Nischen und Wandschränken in Brandmauern ausgeschlossen, soweit nicht deren Rückwand selbst noch mindestens 0,25 m stark bleibt. Vgl. O. V. G. E. vom 29. September 1884, Pr. V. Bl. VI, S. 181.

undurchbrochen durch alle Geschosse mindestens 0,20 m über Dach geführt werden müssen.[6]

4. Zur Erleuchtung von Innenräumen sind jedoch Oeffnungen mit mindestens 0,01 m starkem, fest eingemauerten Glasverschlusse statthaft, wenn sie nicht mehr als 500 qcm Fläche haben und in jedem Geschosse auf einer Wandlänge von 3 m[7] nur einmal vorkommen.

5. Im Innern von Gebäuden muß mindestens auf je 40 m Entfernung eine massive Mauer der in Ziffer 3 angegebenen Art hergestellt werden[8]; Verbindungsöffnungen in dieser Mauer sind zulässig, müssen aber in den Dach-

6 Daraus ergiebt sich als Regel der Satz, daß Wände, welche an des Nachbars Grenze stehen, keine Oeffnungen erhalten dürfen und umgekehrt, daß Wände, in welchen sich Oeffnungen befinden, nicht an des Nachbars Grenze gestellt werden dürfen, gleichviel ob die Wand an die Grenze, oder die Grenze (bei Grenzveränderungen) an die Wand verlegt wird. O. V. G. E. Bd. IV, S. 350. Pr. V. Bl. XII, S. 88 und 265, XV S. 242, vgl. auch § 41, Anm. 2 zu 2. Dies gilt auch, wenn auf eine mit Oeffnungen versehene Wand ein weiteres Stockwerk aufgesetzt werden soll. O. V. G. E. vom 14. Oktober 1890, Pr. V. Bl. XII, S. 304. Aus der angegebenen Regel in Verbindung mit § 40 Ziffer 1 folgt, daß, wenn eine mit Oeffnungen versehene, näher als 6 m an der Nachbargrenze stehende Fachwerkswand niedergerissen und an deren Stelle eine massive Wand aufgeführt wird, diese keine Oeffnungen erhalten darf, auch wenn dieselben sich an derselben Stelle befinden, wo sie sich in der niedergerissenen Fachwerkswand befanden. O. V. G. E. vom 4. Januar 1886, Pr. V. Bl. VII, S. 214.

Wenn in einer Außenwand früher vorhanden gewesene und demnächst zugemauerte Fenster später wieder hergestellt werden, so handelt es sich um eine neue bauliche Anlage, eine Veränderung des derzeitigen baulichen Zustandes der Wand. Die Zulässigkeit der Oeffnungen ist daher lediglich nach demjenigen Baurecht zu beurtheilen, welches zur Zeit ihrer Wiederherstellung in Geltung ist (Vgl. O. V. G. E. XVIII. S. 367 ff. P. V. Bl. XI. S. 173) und vom 12. Mai 1891. IV 467), d. h. jetzt wiederhergestellte Fenster sind zu untersagen bezw. zu beseitigen, wenn sie sich nicht mit den Bestimmungen in § 7 im Einklang befinden. – Diesen Bestimmungen ist zu genügen, ohne Rücksicht auf die Art der Benutzung des Nachbargrundstückes. Es ist also gleichgültig, ob dasselbe bebaut oder unbebaut ist und ob es im letzteren Falle etwa zur Lagerung leicht brennbarer Stoffe benutzt wird. O. V. G. E. Bd. VI S. 309.

7 Derartige Glasverschlüsse müssen von dem Grundstücksnachbar geduldet werden, da auf dieselben weder die §§ 137 und 138 I 8 A. L. R. noch Titel IV § 1 der „Berliner Special-Bau-Observanzen“ Anwendung finden. Denn Lichtlöcher, wie die im vorstehenden § zugelassenen fallen nicht unter den Begriff der Fenster (vgl. § 5 a. a. O., Erk. d. Ober-Trib. vom 17. Mai 1873, Strieth. Archiv Bd. 90 S. 181). Andererseits kann der Nachbar die Lichtöffnungen verbauen, wie lange dieselben auch schon bestehen mögen.

8 Oeffnungen in den Wänden für durchgehende Transmissionswellen sind namentlich in feuergefährlichen Betrieben in geeigneter Weise zu verschließen. Transmissionsöffnungen in den Decken sind mit einem feuersicheren Material auszufüttern und sind die Transmissionen selbst bis auf 1 m Höhe über dem Fußboden mit feuersicheren Schutzkästen zu umgeben.

räumen mit feuer- und rauchsicheren[9], selbstthätig zufallenden, nicht fest verschließbaren Thüren versehen werden. Die Herstellung solcher Brandmauern kann erlassen werden, soweit und solange sie mit der besonderen Nutzungsart eines Gebäudes unvereinbar sind.[10]

6. Nachbargebäude, welche an der gemeinsamen Grenze unmittelbar bei einander errichtet werden, sind je durch eine selbstständige, den vorstehenden Vorschriften entsprechende Brandmauer abzuschließen.[11]

7. Es kann jedoch zugelassen werden, daß Brandmauern zwischen Nachbargrundstücken zum Zwecke und für die Dauer einer bestimmten einheitlichen Benutzung[12] durch Oeffnungen durchbrochen werden. Diese sind dann aber mit feuer- und rauchsicheren, selbstthätig zufallenden Thüren zu versehen, welche, wenn eine Verbindung zwischen benachbarten Innenräumen beabsichtigt wird, nicht fest verschließbar sein dürfen.

9 Allseitig mit Eisenblech beschlagene Holzthüren verdienen erfahrungsmäßig den Vorzug vor durchweg eisernen.

10 Wie dies bei großen Fabrik- oder Versammlungsräumen häufig der Fall ist.

11 Dadurch ist die Aufführung gemeinsamer auf der Grenze stehender Mauern ausgeschlossen; eine höchst zweckmäßige Bestimmung, da, wie die Erfahrung lehrt, das Vorhandensein gemeinsamer Grenzmauern namentlich bei der Neubebauung des einen betheiligten Grundstückes fast regelmäßig zu rechtlichen und technischen Schwierigkeiten Veranlassung giebt. Baut bei dem Vorhandensein einer gemeinschaftlichen Grenzmauer der eine Nachbar neu, so hat er die vorhandene Grenzmauer soweit im Verbande gemauert zu verstärken, daß er für sein Gebäude eine vorschriftsmäßige (vgl. § 6 Anm. 5a) Brandmauer, also mindestens in der Stärke von einem Stein oder 25 cm, von der Grenze ab gerechnet, erlangt. Die §§ 133, 136 Tit. 8 Th. I A. L. R. regeln lediglich die privatrechtlichen Verhältnisse des Neubaues und lassen das Maß derjenigen Anforderungen unberührt, welche im öffentlichen Interesse hinsichtlich der Stärke und sonstigen Beschaffenheit der gemeinsamen Brandmauern zu stellen sind. (O. V. G. E. vom 20. Juni 1894, Pr. V. Bl. XVI. S. 165.)

12 Sobald die einheitliche Nutzung aufhört, ist die Durchbrechung der Brandmauern wieder zuzumauern. Die geschaffene Oeffnung kann entweder Räume der beiden benachbarten Grundstücke verbinden, oder aus einem Raume des einen auf einen unbebauten Theil des anderen Grundstücks führen.

§ 8.
Gebäude in Holzfachwerk.

1. Gebäude und Anbauten an Massivbauten,[13] welche eine Grundfläche von 100 qm und eine Fronthöhe von 6 m nicht überschreiten, dürfen an Stelle massiver Wände (§ 7) solche von ausgemauertem[14] Holzfachwerk erhalten.

2. Die Umfassungswände solcher Gebäude und Anbauten sind indessen, soweit sie von öffentlichen Straßen, Nachbargrenzen oder Gebäuden auf demselben Grundstücke nicht mindestens 6 m entfernt bleiben, außen[15] nicht unter 0,12 m stark massiv zu verblenden.

3. Ueber die vorstehenden Vorschriften hinaus[16] können derartige Gebäude und Gebäudetheile vorübergehend für bestimmte Nutzungszwecke zugelassen[17] werden. In diesem Falle müssen jedoch diese Gebäude und Gebäudetheile unter sich und von anderen Gebäuden, wenn sie nicht unmittelbar an einander gebaut werden, eine Entfernung von mindestens 6 m innehalten.

§ 9.
Schuppen, Buden u.s.w.

1. Die Umfassungswände von Schuppen, Buden, Gartenhallen, Veranden, Lauben, Kegelbahnen und ähnlichen kleinen Anlagen dürfen aus Holz, Eisenblech, Drahtputz, Gipsdielen oder aus ähnlichen Stoffen hergestellt werden.

---

13 Fachwerksbauten sind hiernach als selbstständige Gebäude, sowie als Anbauten an Massivbauten zulässig. Die Maßbeschränkungen beruhen auf der Absicht, der Schaffung übermäßig großer, immerhin feuergefährlicher Fachwerksbauten thunlichst entgegenzutreten. Unmittelbar aneinander gebaute Fachwerksgebäude dürfen zusammen allerdings mehr als 100 qm Grundfläche haben, jedes einzelne von ihnen muß aber, soweit es von einem anderen Fachwerksgebäude nicht mindestens 6 m entfernt bleibt, außen nicht unter 0,12 m stark massiv verblendet werden. Verbindungsöffnungen zwischen nebeneinanderstehenden Fachwerksgebäuden sind unzulässig.

14 Die Ausfüllung der Fache mit anderem feuersicheren Baustoff wie Lehm, Beton, und dgl. ist demnach nicht gestattet.

15 Eine innere massive Verblendung genügt also nicht.

16 Also mit größerer Grundfläche als 100 qm und größerer Fronthöhe als 6 m.

17 Ueber die Zulassung entscheidet lediglich das polizeiliche Ermessen. Soll diese Ausnahmebestimmung nicht zu einer völligen Umgehung der unter Ziffer 1 und 2 gegebenen Bestimmungen führen, so wird die Ausnahme nur dann bewilligt werden können, wenn der bestimmte Nutzungszweck nachgewiesenermaßen nur ein vorübergehender, d. h. zeitlich begrenzter ist, sei es durch einen bestimmten Ablaufstermin, sei es unbestimmt durch den Eintritt eines gewissen, jedenfalls aber nicht zu fern liegenden Ereignisses.

2. In der Regel sollen diese Anlagen eine Grundfläche von 25 qm, sowie eine Fronthöhe von 3 m nicht überschreiten und von Holzbauten, Nachbargrenzen und öffentlichen Straßen 6 m entfernt bleiben[18].

3. Die Errichtung von hölzernen Schutzdächern[19] und ähnlichen offenen Holzkonstruktionen kann über die Bestimmungen der Ziffer 2 hinaus nach Umständen und unter besonderen Bedingungen zugelassen werden.[20] [21]

§ 10.
Nichtbelastete Scheidewände.

1. Scheidewände dürfen aus Eisenblech, Drahtputz, Gipsdielen oder ähnlichen Stoffen hergestellt und unmittelbar auf Balken gesetzt werden.

2. Hölzerne Scheidewände müssen mit Mörtel abgeputzt oder in sonst gleich wirksamer Weise gegen die Uebertragung von Feuer gesichert werden. Die Verwendung von Lehmmörtel ist ausgeschlossen.

3. Hohlräume in hölzernen Scheidewänden sind mit unverbrennlichen, für die Gesundheit unschädlichen Stoffen (§ 11 Ziffer 2) auszufüllen.[22]

4. Scheidewände zur Abgrenzung wirthschaftlicher Nebenräume dürfen aus ungeputztem Holzwerke hergestellt werden.

---

18 Nur von Holzbauten, Nachbargrenzen und öffentlichen Straßen müssen Anlagen der fraglichen Art 6 m entfernt bleiben; ein bestimmtes Abbleiben von massiven- oder Holzfachwerksgebäuden oder von sonstigen baulichen Anlagen aus Eisenwellblech, Eisenfachwerk, Drahtputz, Gipsdielen und ähnlichen Materialien ist nicht vorgeschrieben (vgl. O. V. G. vom 29. Oktober 1892 IV 999), indeß bleiben die Bestimmungen über die Größe und Gestaltung der Hofräume sowie die Licht- und Luftverhältnisse der zum dauernden Aufenthalt von Menschen bestimmten Räumen selbstverständlich in jedem Falle zu beachten.

19 Unter derartigen hölzernen Schutzdächern sind offene Holzkonstruktionen zu verstehen, die zum mindesten nicht auf allen Seiten Umfassungswände haben. Auch derartige offene Schutzdächer sind bei der Berechnung der bebauten Fläche mit in Rechnung zu stellen (vgl. § 2 Ziffer 5); die Grundfläche eines Schutzdaches ist nach der gesammten überdeckten Fläche zu berechnen, nicht etwa bloß zwischen den tragenden Pfosten. Ob ein Schutzdach als eine bauliche Anlage oder als Marquise zu behandeln ist, ist eine Frage rein thatsächlicher Natur. (O. V. G. E. vom 4. Dezember 1894.)

20 Die Dächer auch der in diesem § behandelten Baulichkeiten sind mit einem gegen die Uebertragung von Feuer hinreichenden Schutz bietenden Materiale (Stein, Metall, Theerpappe, Holzcement, Glas, Xylolithplatten u. s. w.) zu decken. (Vgl. § 12).

21 Eine hölzerne Spalierwand, bestehend aus festem Gitterwerk, zwischen eingegrabenen Stielen ist zwar eine der baupolizeilichen Genehmigung bedürfende Anlage, aber sie fällt weder unter Ziffer 1 noch Ziffer 3 des §, kann also auch hart an der Nachbargrenze errichtet werden, wenn sie im Uebrigen, namentlich gegen Winddruck standsicher ist. O. V. G. E. vom 30. Juni 1894, P. V. Bl. XVI S. 31.

22 Hier ist also auch die Ausfüllung mit Lehm gestattet im Gegensatz zu § 8, Ziffer 1.

§ 11.
Decken.[23]

1. Holzbalkendecken sind auszustaken, mit unverbrennlichen Stoffen in einer Stärke von mindestens 0,13 m auszufüllen und unterhalb entweder durchweg mit Mörtel – jedoch unter Ausschluß von Lehmmörtel – zu putzen oder mit einer in gleichem Maße feuersicheren Verkleidung[24] zu versehen. An Stelle der Stakung und Ausfüllung kann eine andere gleich wirksame Konstruktion zugelassen werden.[25]

2. Die Stoffe zur Verfüllung von Balkendecken und Gewölben dürfen durch keine der Gesundheit schädlichen Bestandtheile verunreinigt sein; namentlich ist die Verwendung von Bauschutt jeder Art ausgeschlossen.

23 Die hier gegebenen Bestimmungen verfolgen feuer- und gesundheitspolizeiliche Zwecke; ihre Beachtung ist in Berlin bereits allgemein üblich geworden.

24 Zugelassen werden z. B. Asbestcementfabrikate von Kühlewein an Stelle der unterhalb der Balken anzubringenden Schalung mit Mörtelputz, desgl. Alsdorff'sche Cementgipsgußdecken und Schweizer'sche Gipsdielen.

25 Es sind beispielsweise zugelassen: Jädicke'sche Gipshohlplatten bei nicht belasteten Decken, als Ersatz der Ausstakung und Ausfüllung der Decken, sowie des unterhalb anzubringenden Mörtelputzes. Derartige Decken sind als feuerfest nicht anzusehen. Zur Herstellung belasteter Decken aus Gipshohlplatten ist die Genehmigung jedesmal besonders nachzusuchen. (Verf. des Pol.-Präs. vom 30. September 1892), ferner als Ersatz für Stakung zwischen der Balkenlage Böcklen's Patent-Cement-Dielen (vgl. auch § 32 Anm. 3).

3. Sonstige Deckenkonstruktionen müssen mindestens ebenso zuverlässig den Anforderungen der Feuersicherheit und Gesundheitspflege entsprechen, wie die in Ziffer 1 und 2 beschriebenen Holzbalkendecken.[26]

4. Vorschriftsmäßig ausgeführte Decken dürfen mit Holztäfelung bekleidet werden.

26

a. Z. B. Decken nach Rabitz'schem System.

b. Decken von Trägerwellblech mit Betonüberfüllung werden allgemein zur Anlage feuerfester Decken, über Corridoren, in Treppenhäusern, von Podest-Closets und Balkonfußboden zugelassen. Die Wellen sind mit Beton auszufüllen und im Scheitel 5 cm mit demselben Material zu überdecken. Das freiliegende Wellblech muß durch Oelfarbenanstrich oder durch Mörtelputz gegen Rost geschützt werden; die rechnungsmäßig erforderliche Stärke der Bleche muß um 1 mm erhöht werden. (Vgl. Anm. 5c zu § 6).

c. Grundsätzliche Bedenken gegen Decken-Konstruktionen mit schwebendem Stoß der Unterzüge sind nicht zu erheben. Die Standsicherheit der gewählten Konstruktion ist in jedem einzelnen Falle rechnerisch nachzuweisen.

d. Sonstige Deckenkonstruktionen, deren allgemeine Zulassung Seitens der Erfinder, Patentinhaber, Unternehmer u. unter Beibringung der erforderlichen Unterlagen (Prüfungsergebnisse, Patenschriften) beantragt wird, werden durch technische Beamte des Polizei-Präsidiums einer Belastungs- oder Feuerprobe unterzogen; dem betreffenden Unternehmer werden alsdann, sofern sich die Deckenkonstruktion thatsächlich als eine von den bereits allgemein genehmigten Konstruktionen wesentlich abweichende erweist, durch Verfügung diejenigen Bedingungen mitgetheilt, unter denen die von ihm erfundene bezw. vorgeführte Deckenkonstruktion in Berlin allgemein zugelassen werden soll. Voraussetzung für die Zulassung oder Belassung im einzelnen Falle bleibt allerdings immer die ordnungsmäßige, sorgfältige Ausführung. Vielfach wird es sich empfehlen, die allgemeine Genehmigung zur Ausführung einer bestimmten Deckenkonstruktion nur der einen antragstellenden Person oder Firma zu ertheilen, die für die ordnungsmäßige Ausführung gleichzeitig Gewähr bietet, für alle anderen Fälle aber, in denen die Ausführung durch Dritte erfolgt, die Nachsuchung einer besonderen polizeilichen Erlaubniß zur Bedingung zu machen.

Zugelassen sind beispielsweise: 1. Monier-Decken (vgl. Nr. 28,1); 2. Deckenkonstruktionen aus Böcklen's Patent-Cementdielen (vgl. Nr. 28, 2); 3. Deckenkonstruktionen nach dem System Holzer (vgl. Nr. 28, 3); 4. Können'sche Rippendecken (vgl. Nr. 28, 4); 5. Deckenkonstruktionen aus Stolte'schen Cementdielen (vgl. Nr. 28, 5); 6. Deckenkonstruktionen nach dem System Kleine (vgl. Nr. 28, 6); 7. Deckenkonstruktionen aus Cementbeton mit Eisenfedereinlagen von Müller, Marx & Cie (vgl. Nr. 28, 7); 8. Donath'sche Deckenkonstruktionen (vgl. Nr. 28, 8); 9. Deckenkonstruktionen nach dem System F. Schürmann (vgl. Nr. 28, 9); 10. Deckenkonstruktionen nach dem System Düsing (grade Decke aus Gips mit Mauersteinstücken und Eiseneinlagen) (vgl. Nr. 28, 10); 11. Deckenkonstruktionen nach dem System Förster (vgl. Nr. 28, 11); 12. Schweizer's Patent-Gitterdecken und Fußböden (vgl. Nr. 28, 12); 13. Deckenkonstruktionen der Mauer- und Zimmermeister Dabbert & Hütten (vgl. Nr. 28, 13); 14. Donath'sche Cementeisendecken (vgl. Nr. 28, 14).

5. Ungeputzte gehobelte[27] Holzdecken können zugelassen werden:

a) in Gebäuden ohne Feuerungen,

b) in eingeschossigen Gebäuden, in welchen die lichte Höhe des Geschosses mehr als 5 m beträgt, insbesondere in Kirchen, Turn- und Wartehallen, Reitbahnen und Ausstellungsgebäuden,

c) in Speichern zur Aufbewahrung von Getreide, Mehl oder Malz; doch müssen dort befindliche heizbare Räume durch massive Wände und Decken von den übrigen Räumen getrennt werden und besondere Zugänge erhalten,

d) in allen Fällen, wo das Dach zugleich die Decke des Raumes bildet unter der Bedingung, daß sämmtliche von innen sichtbaren Holztheile gehobelt werden.

§ 12.
Dachdeckung.

1. Die Dächer aller[28] Baulichkeiten müssen mit einem gegen die Uebertragung von Feuer hinreichenden Schutz bietenden Stoffe[29] (Stein, Metall, Theerpappe, Holzcement, Glas u. s. w.)[30] gedeckt werden.

2. Oeffnungen in Dächern und in Dachaufbauten unterliegen in Hinsicht der Entfernung von Nachbargrenzen den gleichen Bedingungen wie die

27 Die glatte Hobelung gewährt immerhin einen gewissen Schutz gegen das Feuerfangen. Die Zulassung ist von der besonderen Genehmigung des Polizei-Präsidiums abhängig. Hierbei kann die gehobelte Holzdecke nicht nur an Stelle des Mörtelputzes, sondern gleichzeitig auch unter Fortlassung der Stakung und Verfüllung zugelassen werden, wie sich dies zur Verhütung von Ungeziefer sowie im Interesse ausreichender Lüftung erfahrungsmäßig namentlich in Getreide- und Mehlspeichern empfiehlt (vgl. unter c).

28 Also sowohl der massiven Gebäude (§ 7) als der Gebäude in Holzfachwerk (§ 8), sowie der Holzbauten, Schuppen, Buden, hölzernen Schutzdächer und ähnlichen offenen Holzkonstruktionen (§ 9). Dachaufbauten müssen, wie die Dächer selbst, feuersicher bekleidet werden.

29 Darüber, ob das zur Dachbedeckung benutzte Material als „hinreichenden Schutz bietend“ zu erachten ist, hat die Polizeibehörde zu befinden.

30 Beispielsweise Ziegel, Schiefer, Asphalt, Xylolithplatten.

Oeffnungen in Umfassungswänden[31] (§ 5). Diese Bestimmung findet jedoch auf Lichtschachte keine Anwendung.[32]

3. Je nach Beschaffenheit und Lage der Dächer können Schutzvorrichtungen gegen das Hinabfallen von Schnee und Eis und von Personen angeordnet werden.

4. Bei Glasdächern sind nach Anordnung der Polizeibehörde entweder oberhalb oder unterhalb Drahtnetze mit einer Maschenweite von höchstens 0,05 m anzubringen, falls zur Eindeckung der Dächer nicht Drahtglas verwendet wird.

31

a. Hiernach sind zunächst in den Dachflächen überall und ohne Weiteres zulässig Oeffnungen mit mindestens 1 cm starkem, festeingefügtem (nicht zu öffnendem) Glasverschlusse, wenn sie nicht mehr als 500 cm Fläche haben und auf einer Dachlänge von 3 m nur einmal vorkommen.

b. Andere Oeffnungen in Dächern, mögen dieselben in der Dachfläche selbst liegen (eigentliche Dachfenster) oder sich in Dachaufbauten befinden, müssen horizontal zur Nachbargrenze (d. h. einer senkrecht auf der Nachbargrenze errichteten Ebene) gemessen mindestens 6 m von derselben abbleiben. Das Loth ist von dem tiefsten Punkte der Oeffnung auf die vorbezeichnete Ebene zu fällen. In seitlicher Richtung unterliegen die Oeffnungen in Dächern ebenso wenig hinsichtlich des Abbleibens von der Nachbargrenze beschränkenden Bestimmungen wie die Oeffnungen in Umfassungswänden. Nur sofern die Dachfenster oberhalb der zulässigen Fronthöhe über eine im Winkel von 45 % zu der Front gedachte Luftlinie hinausgehen, müssen sie in seitlicher Richtung mindestens 3 m von der Nachbargrenze entfernt bleiben (§ 3, Ziffer 2).

c. Oeffnungen in Dächern und in Dachaufbauten auf verschiedenen Gebäuden desselben Grundstücks unterliegen keinen Beschränkungen hinsichtlich der Entfernung von einander. Dachfenster auf demselben Dache müssen indeß, sofern sie oberhalb der zulässigen Fronthöhe über eine im Winkel von 45 % zu der Front gedachte Luftlinie hinausgehen, von einander 2,50 m entfernt bleiben (§ 3 Ziffer 2).

d. Oeffnungen in Frontaufbauten unterliegen den Bestimmungen des § 5.

32 Vgl. § 16. Lichtschachte dürfen also, sei es, daß sie oben offen, sei es, daß sie mit einer Glasdecke oder sonst in geeigneter Weise geschlossen sind, mit ihrer im Dach belegenen Oeffnung beliebig nahe an die Nachbargrenze herantreten, also auch unmittelbar.

§ 16.
Treppen.[33]

1. Jedes nicht zu ebener Erde[34] liegende Geschoß muß mindestens durch eine Treppe zugänglich sein, durch welche der Ausgang nach der Straße oder nach einem Hofe jederzeit gesichert wird (notwendige Treppe). Ausnahmen bezüglich des Dachgeschosses können mit Rücksicht auf die besondere Benutzungsart zugelassen werden. Von jedem Punkte des Gebäudes aus muß eine Treppe auf höchstens 30 m Entfernung erreichbar sein.[35]

Dieses Maß ist auch für Kellerräume innezuhalten, so weit sie zum dauernden Aufenthalt von Menschen bestimmt sind (§ 37); für anderweit benutzte Kellerräume kann ein größeres Maß zugelassen[36] werden.

2. Gebäude, in deren oberstem Geschosse der Fußboden höher als 7 m über dem Erdboden liegt, müssen mindestens zwei in gesonderten Räumen befindliche Treppen oder eine unverbrennliche Treppe (nothwendige Treppen) erhalten. Doch soll, wenn der oberste Fußboden über 11 m hoch liegt,

33 Die hervorragende Bedeutung der Treppen in sicherheitspolizeilicher Beziehung rechtfertigt die eingehenden Bestimmungen, die die B. P. O., ebenso wie die Bauordnungen anderer Städte, in dieser Hinsicht trifft. Die Bestimmungen sind naturgemäß verschieden, je nachdem die Treppen den Zugang zu Gebäuden bezw. Gebäudetheilen, welche zum dauernden Aufenthalt von Menschen bestimmt sind, oder aber zu anderen Zwecken dienenden Räumen bilden. Die Vorschriften beziehen sich insbesondere auf die Zahl, die Lage, leichte und sichere Erreichbarkeit, das Material und die Konstruktion der Treppenanlagen, sowie auf deren Schutz gegen Verqualmung.

34 Liegt das Geschoß nicht höher als 2 m über dem Erdboden, so genügt selbst als nothwendige Treppe eine Freitreppe. Vgl. Ziffer 3.

35 Eine wesentliche Erleichterung gegen früher, wo schon auf 25 m eine Treppe erreichbar sein mußte. Unter „jedem Punkt des Gebäudes" ist nur jeder auf einem Fußboden desselben belegene Punkt zu verstehen, sodaß also die Entfernung von 30 m nur auf dem Fußboden jedes Geschosses gemessen wird und zwar durch den freien Raum ohne Rücksicht auf die in den Räumen befindlichen Gegenstände, wie Möbel, Maschinen, Subsellien p. p.

Befindet sich über einem Dachgeschoß noch ein oberer Bodenraum, so braucht nicht von jedem Punkte dieses Raumes aus eine Treppe auf 30 m erreichbar sein; der Raum muß indeß sicher zugänglich gemacht sein, etwa durch eine hölzerne, freiliegende Treppe mit Geländer (Kommissionssitzung vom 11. Februar 1897).

36 Auch von dem weitesten Punkte der zum dauernden Aufenthalt von Menschen bestimmten Kellerräume darf eine Treppe höchstens 30 m entfernt sein. Für nicht zum dauernden Aufenthalt von Menschen bestimmte Kellerräume ist grundsätzlich dieselbe Bestimmung maßgebend, doch kann polizeilich auch eine größere Entfernung zwischen der Treppe und dem weitesten Punkte des Kellers zugelassen werden.

nur im Ausnahmefalle[37] eine unverbrennliche[38] Treppe genügen. Als oberstes Geschoß ist das Dachgeschoß nicht anzusehen, wenn es keine zum dauernden Aufenthalte von Menschen bestimmten Räume enthält.

3. Nothwendige[39] innere Treppen einschließlich der daran liegenden Vorplätze und Flure müssen mit massiven, nur durch die erforderlichen Verbindungs- und Lichtöffnungen[40] unterbrochenen Wänden umschlossen werden. Nebeneinander gelegene Räume für nothwendige Treppen[41] dürfen durch keine Oeffnungen mit einander in Verbindung stehen. Freitreppen dürfen,[42]

---

37 Bestimmend für die Zulassung einer derartigen Ausnahme ist die ganze Raumdisposition des Gebäudes, seine Ausdehnung und Zweckbestimmung, die Lage der Treppe und ihre bequeme und sichere Erreichbarkeit. Daß die eine unverbrennliche Treppe von jedem Punkte des Gebäudes auf eine geringere Entfernung als auf 30 m erreichbar sein muß, wird im Allgemeinen als Voraussetzung für die Bewilligung der Ausnahme anzusehen sein.

38 Zu den unverbrennlichen Treppen sind zu rechnen die massiven und die eisernen. Zu letzteren gehören beispielsweise die Treppen nach dem System Joln Wittenberg. Die von der Internationalen Sandsteingießerei Ischyrota hergestellten Stufen werden zur Anlage freitragender Treppen bis zu einer Länge von 1,40 m unter gewissen Bedingungen zugelassen. Die baupolizeiliche Prüfung der aus Schönweider Kunststein in Verbindung mit Schmiedeeisen hergestellten Treppen wird mit der fünffachen mobilen Belastung, also mit 2500 Klg. pro Quadratmeter vorgenommen.

39 Vgl. auch § 37 Ziffer 7. Zweck der Bestimmungen in Ziffer 2 ist, einerseits, die zur Rettung bestimmten Treppen selbst, andererseits, für den Fall, daß das Treppenhaus brennen sollte, die anschließenden Wohnungen thunlichst gegen die Uebertragung des Feuers zu schützen.

40 Wandöffnungen, welche etwa mit Siemens'schem Drahtglas fest verschlossen sind, können gleichwohl als massive Wandtheile nicht betrachtet und demnach, sofern sie sich nicht als erforderliche Lichtöffnungen charakterisiren, nur im Dispenswege zugelassen werden.

Welche Verbindungs- und Lichtöffnungen erforderlich sind, ist quaestio facti. Im Allgemeinen wird der Anlegung von Thüren auf den eigentlichen Geschoßpodesten nicht widersprochen werden können. Bei der Zulassung von Lichtöffnungen wird lediglich der Gesichtspunkt ausschlaggebend sein können, ob dieselben zur Beleuchtung des Treppenraumes selbst erforderlich sind. Daß die in den massiven Umfassungswänden des Treppenhauses liegenden nothwendigen Oeffnungen mit Thüren bezw. Fenstern verschlossen sein müssen, ist nicht vorgeschrieben, indeß wird seitens des Polizei-Präsidiums gefordert, daß die nach dem Dachboden führenden Verbindungsöffnungen in den massiven Umschließungswänden der Treppenhäuser mit einer gemauerten Schwelle und mit feuersicheren, in Mauerfalze schlagenden, dicht schließenden Thüren versehen werden. Die Thüren müssen selbstthätig zufallen und irgend eine Art Klinkenverschluß haben.

41 Liegt neben einer „nothwendigen" Treppe eine im gesetzlichen Sinne „nicht nothwendige" Treppe, so ist diese lediglich ebenso zu behandeln, wie jeder andere Raum des Hauses und kann daher auch mit dem Treppenhause der nothwendigen Treppe durch Thüren, soweit sie sich als erforderliche Verbindungsöffnungen darstellen, verbunden werden.

42 D. h. der unterste Theil einer nothwendigen Treppe und zwar bis zu einer Höhe von 2 m, vom Erdboden ab gerechnet, darf im Freien liegen.

wenn sie nothwendige Treppen sind, nur in einer Höhe von 2 m hergestellt werden.

4. Jede nothwendige Treppe muß mit dem wirthschaftlich gesondert benutzten Gebäudetheile, für welchen sie bestimmt ist, unmittelbare Verbindung haben, in einer freien, durch das Geländer nicht eingeschränkten Breite von mindestens 1 m sicher gangbar sein und in einem, vom Tageslicht hinreichend erhellten Raume liegen. Als sicher[43] gangbar gilt eine Treppe, wenn der Auftritt der Stufen, in der Austragung gemessen, mindestens 0,26 m und die Steigung höchstens 0,18 m beträgt. Wendelstufen dürfen an der schmalsten Stelle, in der Austragung gemessen, nicht unter 0,10 m Auftrittsbreite haben.

5. Die Treppenläufe sind, wenn sie zwischen Wänden liegen, mindestens an einer Seite mit Handgriffen, sonst mit Geländern zu versehen, welche ein Hindurchfallen von Kindern ausschließen. Für Geländer und Handgriffe können besondere Anordnungen getroffen werden.

6. Jede nothwendige Treppe ist bis in das Dachgeschoß zu führen oder muß im obersten Geschoß entweder unmittelbar oder in einem in der Nähe belegenen, leicht auffindbaren Raume durch eine feuersicher abgeschlossene Nebentreppe ihre Fortsetzung bis ins Dachgeschoß erhalten. Für diese Nebentreppe genügt eine grade oder gewendelte Treppe mit freier Laufbreite von 0,75 m und einem derartigen Auftritte und Steigungsverhältnisse, daß überall eine Kopfhöhe von mindestens 1,80 m verbleibt.[44]

7. Bei freitragenden Granittreppen sind die Podeste, wenn diese gleichfalls aus Granit hergestellt werden, durch Eisenträger, Mauerbögen oder Gewölbe zu unterstützen.[45]

8. Die Stufen unverbrennlicher Treppen dürfen mit Holz belegt werden.[46]

9. Nothwendige hölzerne Treppen sind unterhalb entweder zu rohren und zu putzen oder mit einer gleich feuersicheren Verkleidung[47] zu versehen.

43 Die Verwendung von Eisenbahnschienen zu Treppenkonstruktionen wird nicht zugelassen. Die Tragfähigkeit der eisernen Träger für Treppenanlagen ist rechnungsmäßig nachzuweisen.

44 Diese Nebentreppe braucht also selbst nicht unverbrennlich zu sein, sie muß aber feuersicher gegen die umliegenden Räume abgeschlossen sein.

45 Um den freitragenden Granittreppen in den Podesten einen festen Halt bei Feuersgefahr zu geben, da erhitzte Granitsteine bei dem Bespritzen mit Wasser erfahrungsmäßig sehr leicht zerspringen.

46 An Stelle von Holz werden beispielsweise auch Xylolith-Platten zugelassen. Das Belegen der Stufen mit nicht eingefalzten eisernen Stäben dürfte auf Grund des § 10, II 17 A. L. R. zu untersagen sein.

47 Beispielsweise mit Xylolith-Platten.

10. Bei nothwendigen Treppen sind die Treppenpodeste in der Regel rechteckig in der Weise anzulegen, daß die Länge wie die Breite der Podeste – in der Mitte gemessen – mindestens gleich der Laufbreite der Treppe ist. Dasselbe gilt für die Breite der Treppenzugänge. Eine Abschrägung der Ecken der Podeste bis zur kreisförmigen Abrundung ist nur bei Treppen von mehr als 1,25 m Breite zulässig. Wenn die Laufbreite der Treppe mehr als 1,75 m beträgt, darf die Breite der Podeste bis auf dieses Maß eingeschränkt werden.

6.3 Entwurf einer Bauordnung aus dem Zentralblatt der Bauverwaltung vom 25. April 1919

Zum Zwecke der Vereinheitlichung und der Vereinfachung der baupolizeilichen Vorschriften in ganz Preußen gedacht, wurde am 25. April 1919 der „Entwurf zu einer Bauordnung“ vom Staatskommissar für das Wohnungswesen in Preußen erlassen, die sog. Einheitsbauordnung.

Dieser Musterentwurf war zukünftig dem Neuerlass von Bauordnungen für die Städte, Landgemeinden mit stadtartiger Entwicklung und Vororten größerer Städte im gesamten preußischen Gebiet zur Grundlage zu benutzen.

Die Vorschriften sollten dabei möglichst weitgehend ohne Änderungen übernommen werden, auf örtliche Besonderheiten wie **„klimatische oder landschaftliche Unterschiede“** [92] durfte aber reagiert werden, und es konnten entsprechende weitergehende oder anderweitige Regelungen in die jeweilige Baupolizeiverordnung aufgenommen werden.

Dieser Entwurf ist als das bauaufsichtliche Rückgrat einschließlich der Bestimmungen zum Feuerschutz für den historischen Wohnungsbestand in Deutschland bis in die 1960er Jahre hinein zu sehen und trifft somit auch für viele Baudenkmale dieser Zeit zu. Er ist der Vorläufer unserer heutigen Musterbauordnung und ähnlich strukturiert. Es sind u. a. ein Paragraf hinsichtlich der womöglich zusätzlichen Anforderungen im Sprachgebrauch der „besonderen Anforderungen“ des § 51 der heutigen Musterbauordnung für „besondere Arten von Gebäuden“ [93], Regelungen für bestehende bauliche Anlagen, die besagen, dass nachträgliche Anforderungen nur anzuordnen sind, **„wenn polizeiliche Gründe, insbesondere solche der öffentlichen Sicherheit, es notwendig machen“** [94] und **„Dispense“** [95] in Form möglicher Abweichungen und Befreiungen enthalten.

Dieser Musterentwurf kann somit zum Nachweis, dass die zur Errichtungszeit geltenden Vorschriften bei einem unter Denkmalschutz stehenden Wohn- oder Bürobau eingehalten wurden, herangezogen werden. Besonders wichtig ist dahingehend auch die dem Musterentwurf beigefügte Anlage, mit der – in Form heutiger Erläuterungen der ARGEBAU – die konkrete Anwendung der damaligen baupolizeilichen Vorschriften verdeutlicht wurde.

Nr. 42. Zentralblatt der Bauverwaltung. 225

INHALT: Amtliches: Erlaß, vom 25. April 1919, betr. den Entwurf zu einer Bauordnung. — Nichtamtliches: Bücherschau.

I. 1933 V. 517

Amtliche Mitteilungen.

Erlaß, betreffend den Entwurf zu einer Bauordnung.

Berlin, den 25. April 1919.

Der anliegende Entwurf zu einer Bauordnung soll dem schon häufig beklagten Mangel der Einheitlichkeit der Vorschriften der einzelnen Bauordnungen Preußens abhelfen. Ich ersuche daher, dafür zu sorgen, daß er in allen Fällen, in denen der Neuerlaß von Bauordnungen für Städte, Landgemeinden mit stadtartiger Entwicklung und insbesondere Vororte größerer Städte bevorsteht oder in Vorbereitung ist, als Grundlage benutzt wird. Aber auch dort, wo die Bauordnungen Abweichungen wesentlicher Art enthalten, wo z. B. eine Bauklasseneinteilung bisher nicht vorgesehen ist, oder wo die Vorschriften auf dem Großmiethause aufgebaut sind, oder wo ausreichende Vorschriften für den Flachbau nicht bestehen, oder wo die Bauordnungen noch nicht den sonstigen Anforderungen des Wohnungsgesetzes angepaßt sind, ist alsbald eine Neuaufstellung der Bauordnung im Anschluß an den anliegenden Musterentwurf einzuleiten.

Der Entwurf bezweckt, eine Vereinfachung in der Anordnung und Fassung der bisher geltenden baupolizeilichen Vorschriften zu erreichen und enthält nur solche Bestimmungen, die eine Vereinheitlichung für ganz Preußen zulassen; er ist daher in die einzelnen Regierungs- oder Ortspolizeiverordnungen wörtlich zu übernehmen. Lediglich die wenigen in eckige Klammern gesetzten Stellen können dort, wo für solche Bestimmungen ein Bedürfnis nicht vorliegt, fortgelassen werden. Durch systematische Einteilung des Stoffes will der vorliegende Bauordnungsentwurf eine feststehende Reihenfolge der Abschnitte und eine Festlegung der Paragraphen-Überschriften und -Zahlen einführen, deren allseitige Annahme den Vorteil hat, daß unter bestimmten Nummern überall die gleichen Angelegenheiten behandelt werden. Wenn es auch einzelnen Behörden schwer fallen mag, sich von ihnen lieb gewordenen äußeren Eigentümlichkeiten in den Bauordnungsvorschriften zu trennen, so muß ich doch im Interesse der Einheitlichkeit in der Anordnung des Stoffes und des schnelleren Zurechtfindens für alle Beteiligten auf die unveränderte Übernahme der Vorschriften in die Regierungs- und Ortspolizeiverordnungen besonderen Wert legen.

Dem berechtigten Verlangen, daß die örtlichen Besonderheiten hinreichend Berücksichtigung finden, ist dadurch Genüge geschehen, daß die wesentlichsten für eine örtliche Regelung in Betracht kommenden Paragraphen unausgefüllt geblieben sind. Bei der Ergänzung sind die in der Anlage gegebenen Anregungen und Vorschriften zu beachten, im übrigen aber die heimischen Bauverhältnisse eingehend zu prüfen und die örtlichen Bedürfnisse zu berücksichtigen. Es steht nichts im Wege, daß auch an anderen Stellen als denjenigen, wo auf eine Regelung durch Regierungs- oder Ortspolizeiverordnung verwiesen ist, Zusätze zu den anliegenden Vorschriften gemacht werden. Ich ersuche jedoch, hiervon nur in den dringendsten Fällen Gebrauch zu machen; denn die baulichen Beschränkungen, die die anliegende Bauordnung bringt, dürften im allgemeinen durchaus ausreichend sein. Keinesfalls dürfen in die Bauordnungen technische Abweichungen, die auf persönlichen Auffassungen und Erfahrungen ihrer jeweiligen zuständigen Berater beruhen, wieder Eingang finden, sondern es darf sich bei der Einfügung von Vorschriften nur um örtliche, auf klimatischer oder landschaftlicher Verschiedenheit beruhende anerkannte und berechtigte Baugewohnheiten handeln. Zu letzteren gehört z. B. die Einfügung von Vorschriften für diejenigen Gemeinden, in denen auf eine mehr als dreigeschossige Bauweise aus wirtschaftlichen Gründen auch in Zukunft nicht völlig verzichtet werden kann. Erweist sich eine derartige Bauweise in einzelnen Gemeinden für bestimmt umgrenzte Baugebiete als erforderlich, müssen verschärfte Bestimmungen z. B. hinsichtlich der Standfestigkeit und Feuersicherheit, der Bauart, Gebäudeabstände und Treppenanlagen eingefügt werden.

Von allen neu erlassenen Bauordnungen ersuche ich, mir drei Druckexemplare vorzulegen.

Über den Stand der Neuregelung des Bauordnungswesens im dortigen Bezirk sehe ich einem Bericht bis zum 1. Mai 1920 entgegen.

Der Staatskommissar für das Wohnungswesen.

St. 6. 103. Scheidt.

Entwurf zu einer Bauordnung.

Abschnitt I.

Geschäftliche Bestimmungen.

§ 1. Gegenstand der Baugenehmigung und Bauanzeige.

Zuständig zur Erteilung der baupolizeilichen Erlaubnis — Baugenehmigung — ist die Ortspolizeibehörde.

A. Der Baugenehmigung bedürfen:

a) alle neuen baulichen Anlagen über und unter der Erde; hierzu gehören auch Einfriedigungen an Straßen und Grundstücksgrenzen, Blitzableiter, Brunnen, Dungstätten, Aborte, Abort- und Jauchegruben, Landungsstege, Leitungsmasten, soweit sie auf massivem Sockel aufgestellt sind, Zu- und Abflußleitungen sowie freistehende Reklametafeln von mehr als 1 qm Größe, freistehende Schaukästen u. dgl.;

b) bei bestehenden baulichen Anlagen die Herstellung oder Veränderung von tragenden oder unterstützenden Bauteilen (Wänden, Pfeilern, Decken, Eisenkonstruktionen), von Dächern, von Bauteilen, die über die Umfassungswände vortreten, von Fenster- und Türöffnungen in den Außenwänden, von Treppenanlagen, Licht-, Lüftungs- und Aufzugsschächten, Feuerstätten, Schornsteinen, Gasöfen, elektrischen Starkstromanlagen, Motoren, ferner die Veränderungen von Brunnen, Dungstätten, Aborten, sowie die Veränderung in der Anlage und Einfriedigung von Vorgärten;

c) bei gewerblichen Zwecken dienenden Räumen jede Veränderung der inneren baulichen Einrichtung;

d) Veränderungen in der Benutzungsart baulicher Anlagen, soweit für die Räume in ihrer neuen Zweckbestimmung besondere baupolizeiliche Vorschriften bestehen. Dies gilt namentlich für die Einrichtung von Räumen zum dauernden Aufenthalt von Menschen, für die Einrichtung von gewerblichen, nicht unter den § 16 der Reichsgewerbeordnung fallenden Betriebsstätten, für die Einrichtung von Versammlungsräumen, für die Einrichtung von Lagerräumen für leicht entzündliche Stoffe usw.

[e) der Verputz und der Anstrich oder die Ausfugung der vornehmlich Wohnzwecken dienenden Gebäude sowie die Veränderung aller von Straßen, Plätzen oder anderen öffentlichen Verkehrsflächen aus sichtbaren äußeren Umfassungswände.]

B. Der Baugenehmigung bedürfen nicht:

a) die Herstellung und Entfernung von unbelasteten Wänden, abgesehen von den Fällen unter A c;

b) gewöhnliche Unterhaltungsarbeiten an baulichen Anlagen, [auch in den Fällen unter A e;]

c) die Errichtung von freistehenden Reklametafeln bis zu 1 qm Größe, von kleinen Bauten ohne Feuerungsanlage von nicht mehr als 15 qm Grundfläche und 3 m Höhe bis zum First, wie Schuppen, offene Lauben, Garten- und Feldhäuschen, Baubuden u. dgl.; jedoch müssen auch diese baulichen Anlagen im übrigen den Vorschriften der Bauordnung genügen.

C. Bauanzeige.

Die Ortspolizeibehörde ist befugt, auf Antrag des Bauherrn bei weiteren als den unter B c vorgesehenen geringfügigen baulichen Anlagen von der Forderung der Einholung der Baugenehmigung abzusehen und sich mit einer Bauanzeige zu begnügen; anderseits ist sie auch befugt, bei nicht genehmigungspflichtigen Bauten und Bauarbeiten (vgl. B) Bauanzeige oder Einholung der Baugenehmigung zu verlangen, sobald das öffentliche Interesse es erfordert. Mit der Ausführung eines Baues, von dem Bauanzeige erstattet ist, darf angefangen werden, wenn binnen 5 Tagen die Ortspolizeibehörde nicht widersprochen hat.

D. Bauten des Reiches, des Staates, der Gemeinden und der weiteren Kommunalverbände.

Bei Bauten, welche für Rechnung des Reiches, des Staates, der Gemeinden oder der weiteren Kommunalverbände unter Leitung von höheren Baubeamten ausgeführt werden, müssen die Bauentwürfe mit den nach § 2 erforderlichen Unterlagen — in einfacher Ausfertigung — vor Beginn der Bauausführung der Ortspolizeibehörde zur baupolizeilichen Prüfung und Genehmigung vorgelegt werden. Eines rechnungsmäßigen Nachweises der Tragfähigkeit der Konstruktion bedarf es bei diesen Bauten nicht.

E. Nach der Reichsgewerbeordnung (§§ 16, 24 und 25) genehmigungspflichtige Anlagen.

Die in den §§ 16, 24 und 25 der Reichsgewerbeordnung bezeichneten Anlagen bedürfen einer besonderen ortspolizeilichen Baugenehmigung nicht.

F. Neben der Baugenehmigung gesetzlich für Bauten vorgeschriebene polizeiliche Genehmigungen.

Bei Gründung neuer Ansiedlungen ist dem Antrage auf Baugenehmigung die Ansiedlungsgenehmigung — §§ 13 bis 20 des Gesetzes vom 10. August 1904 (Gesetzsamml. S. 227) —, bei Errichtung einer

Feuerstätte in der Nähe einer Waldung, welche mehr als 100 ha im räumlichen Zusammenhange umfaßt, ist die hierfür nötige besondere Genehmigung — § 47 des Feld- und Forstpolizeigesetzes vom 1. April 1880 (Gesetzsamml. S. 230) —, bei Bauten im Überschwemmungsgebiet von Wasserläufen ist die nach dem Wassergesetze vom 7. April 1913 (Gesetzsamml. S. 53) vorgeschriebene Genehmigung beizufügen.

§ 2. Bauantrag und Bauvorlagen.

Der Antrag auf Erteilung der Baugenehmigung ist schriftlich bei der Ortspolizeibehörde einzureichen. Mit dem Antrage ist vorzulegen:

a) ein Lageplan, welcher im Maßstabe von nicht unter 1 : 500 — auf Erfordern der Ortspolizeibehörde in größerem Maßstabe —, bei Kleinhäusern nicht unter 1 : 1000, die Lage des Grundstücks zur Himmelsrichtung, zu den angrenzenden Grundstücken, Straßen, Plätzen und anderen öffentlichen Verkehrsflächen, (Wasserstraßen, Eisenbahnen usw.) und gegebenenfalls auch zu Waldungen erkennen läßt. Dabei sind die etwa festgesetzten Straßen- und Baufluchtlinien und Höhenmarken einzuzeichnen; ferner ist die Entfernung des Baues von anderen baulichen Anlagen desselben Grundstücks, von Straßen, Plätzen und anderen öffentlichen Verkehrsflächen, von Nachbargrenzen und den Gebäuden auf Nachbargrundstücken unter Angabe der Bauart und Bedachung der benachbarten Gebäude, sowie die Lage von Brunnen und Dungstätten einzutragen. Die Übereinstimmung der eingetragenen Fluchtlinien und Höhenmarken mit dem Bebauungsplan ist vom Gemeindevorstande zu bescheinigen. Auf Verlangen der Ortspolizeibehörde muß der Lageplan durch einen vereideten Landmesser beglaubigt sein und eine prüfungsfähige Berechnung der zulässigen und der beanspruchten Bebauungsfläche enthalten.

Der Einreichung des Lageplans bedarf es nicht bei Umbauten, bei denen die Lage der äußeren Umfassungswände nicht verändert wird.

b) Bauzeichnungen.

In den Bauzeichnungen sind bei Gebäuden darzustellen: die Grundrisse sämtlicher Geschosse mit Angabe der Maße und der Benutzungsart der Räume, die Querschnitte, von denen mindestens einer den Verlauf der Treppen zeigen muß, mit Angabe der Geschoßhöhen, die Ansichten der Gebäudeseiten, die von Straßen, Plätzen oder anderen öffentlichen Verkehrsflächen sichtbar werden, auf besonderes Verlangen der Ortspolizeibehörde auch schaubildliche Darstellungen, die das Einpassen des Neubaues in die vorhandene Umgebung zeigen, ferner die Konstruktion und die Abmessungen des Baues im ganzen und in seinen Teilen mit Angabe der Art und der Stärke der zu verwendenden Baustoffe, die Höhenlage des Baues zu dem umgebenden Gelände der Straße und der Hoffläche, [bei Wohngebäuden die Ansichten aller Außenflächen,] bei Versammlungsräumen die lichten Breiten der Flure, Türen usw.

Soweit es zur baupolizeilichen Prüfung erforderlich ist, sind einzelne Teile des Bauplans durch Sonderzeichnungen zu erläutern.

Bauzeichnungen sind im Maßstabe von nicht unter 1 : 100 vorzulegen.

c) Festigkeitsberechnungen, durch welche die Tragfähigkeit der Konstruktionen, besonders der aus Eisen und Eisenbeton, aber auch ungewöhnlicher Holzverbände und besonders beanspruchter Teile des Mauerwerks oder Baugrundes, rechnungsmäßig nachgewiesen wird.

d) ein Plan für die Vorgartenanlage.

Der Plan muß den Grundriß und Querschnitt der Vorgartenanlage sowie eine Ansicht der Einfriedigung enthalten.

Zu a—d. Bei geringfügigen baulichen Anlagen genügen schriftliche Darlegungen und Handzeichnungen. Aus ihnen muß mindestens die Art und der Zweck der baulichen Anlage hervorgehen. Bei gleichzeitig auf Grund feststehender Typen in gleichartiger Wiederholung auszuführenden Kleinhäusern (§ 28) bedarf es der Einreichung der Unterlagen zu b—d nur für eins der Kleinhäuser und statt der einzelnen Lagepläne nur eines gemeinsamen Lageplanes.

Die Einreichung der Unterlagen unter c und d kann mit Genehmigung der Ortspolizeibehörde auch zu einem späteren von dieser zu bestimmenden Zeitpunkte erfolgen.

Das Grundstück, auf welchem gebaut werden soll, ist nach Straße, Hausnummer und Grundsteuerkatasternummer zu bezeichnen. Der Bauantrag muß ferner bei Wohngebäuden, Ställen und gewerblichen Anlagen eine Angabe über die Art der Entwässerung enthalten.

[Bei vornehmlich Wohnzwecken dienenden Gebäuden ist der Verputz und Anstrich oder die Ausfugung anzugeben.]

Die Bauzeichnungen sind mit einer durchsichtigen, das betreffende Material kennzeichnenden Farbe anzulegen und auf dauerhaftem Papier oder auf Pausleinwand anzufertigen.

Sämtliche Bauvorlagen sind je in zwei Stücken — auf Erfordern der Ortspolizeibehörde in drei Stücken — einzureichen und müssen die Unterschriften des Bauherrn und des mit der Ausführung Beauftragten (Bauleiter, Bauunternehmer, Planverfasser) tragen. Die Namen des Bauleiters und des Bauunternehmers, sowie der Wechsel dieser Personen, gegebenenfalls auch des Bauherrn, [sind der Ortspolizeibehörde rechtzeitig schriftlich anzuzeigen.

Der Bauherr ist berechtigt, vor Einreichung des Bauantrages über einzelne den Bau betreffende Fragen die Entscheidung der Ortspolizeibehörde einzuholen.

Ergibt sich im Laufe der Bauausführung die Notwendigkeit einer Abweichung von dem genehmigten Bauplan, so ist für die Abweichung die nachträgliche Baugenehmigung einzuholen.

§ 3. Erteilung der Baugenehmigung (Bauschein).

Über die Baugenehmigung wird von der Ortspolizeibehörde ein Bauschein ausgestellt. Die Bauvorlagen werden von der Ortspolizeibehörde mit Genehmigungsvermerk versehen. Von den Bauvorlagen ist je ein Stück zusammen mit dem Bauschein dem Bauherrn auszuhändigen. Bauschein und genehmigte Bauvorlagen sind nicht mehr zu trennen und müssen vom Beginn der Arbeiten an auf der Baustelle bereitgehalten werden.

Vor Aushändigung des Bauscheins darf mit dem Bau, abgesehen von der Anlage von Kalkgruben und der Vornahme gewöhnlicher Ausschachtungen, nicht begonnen werden.

Der Bauschein verliert seine Gültigkeit, wenn innerhalb Jahresfrist nach seiner Aushändigung mit dem Bau nicht begonnen oder wenn der begonnene Bau ein Jahr lang unterbrochen wird; doch kann die Gültigkeit auf Antrag verlängert werden.

Die Erteilung des Bauscheins erfolgt unbeschadet der Rechte Dritter.

§ 4. Baupolizeiliche Abnahmen.

Der Bauherr hat der Ortspolizeibehörde anzuzeigen, wann er mit dem Bau beginnen will; er muß den von ihr mit der Überwachung betrauten Personen — Beamten, Sachverständigen — jederzeit Zutritt zur Baustelle und Einblick in den Bauschein und die Bauvorlagen gewähren.

Alle Bauten die der Baugenehmigung bedürfen, unterliegen baupolizeilichen Abnahmen.

a) die Rohbauabnahme hat zu erfolgen, sobald der Bau in seinen Mauern, Gewölben, Eisenkonstruktionen (einschließlich derjenigen der notwendigen Treppen), sowie in Balkenlagen und Dacheindeckung vollendet ist. Die Dacheindeckung darf hierbei eine vorläufige sein. Die Rohbauabnahme ist schriftlich vom Bauherrn bei der Ortspolizeibehörde zu beantragen. Bei der Rohbauabnahme müssen alle Teile des Baues sicher zugänglich sein und alle für die Standsicherheit wesentlichen Konstruktionen so weit offen liegen, daß die Abmessungen geprüft werden können. Über die Rohbauabnahme wird eine Bescheinigung — Rohbauabnahmeschein — erteilt. In dem Rohbauabnahmeschein wird der Zeitpunkt bestimmt, wann mit den inneren und äußeren Putzarbeiten begonnen werden darf.

Auf die Rohbauabnahme kann die Ortspolizeibehörde bei geringfügigen baulichen Anlagen verzichten. Ein solcher Verzicht ist im Bauschein ausdrücklich zu vermerken.

In besonderen Fällen kann auch eine Grundmauerabnahme oder die Abnahme anderer einzelner Bauarbeiten und Bauteile von der Ortspolizeibehörde im Bauschein ausdrücklich vorgeschrieben werden.

b) Der Gebrauchsabnahme unterliegen Gebäude, welche zum dauernden Aufenthalt von Menschen bestimmte Räume (§ 26) enthalten. Sie darf nicht früher als drei Monate nach Aushändigung des Rohbauabnahmescheins erfolgen. Für Einfamilienhäuser, Kleinhäuser und Mittelhäuser (§ 28) kann die Frist von der Ortspolizeibehörde ermäßigt werden, bei Kleinhäusern mit Mietwohnungen und bei Mittelhäusern jedoch auf höchstens zwei Monate, wenn der Nachweis erbracht wird, daß infolge günstiger Bauzeit, Witterung und Bauart der Bau genügend ausgetrocknet ist. Die Ortspolizeibehörde kann die Frist ferner bei Fabrikgebäuden und Geschäftsgebäuden ermäßigen, wenn keine Nachteile zu erwarten sind. Über die Gebrauchsabnahme wird eine Bescheinigung — Gebrauchsabnahmeschein — erteilt. Vor Aushändigung des Gebrauchsabnahmescheins darf das Gebäude nicht in Benutzung genommen werden. Bei geringfügigen baulichen Anlagen kann die Ortspolizeibehörde auf die Gebrauchsabnahme verzichten. Der Verzicht muß im Bauschein ausdrücklich vermerkt sein.

c) Bauten des Reiches, des Staates, der Gemeinden und der weiteren Kommunalverbände.

Bei Bauten, die für Rechnung des Reiches, des Staates, der Gemeinden oder der weiteren Kommunalverbände unter Leitung von höheren Baubeamten ausgeführt werden, bedarf es der baupolizeilichen Rohbau- und Gebrauchsabnahme nicht.

§ 5. Ausnahmen und Befreiungen (Dispense).

Alle Bestimmungen dieser Bauordnung gelten [als zwingende, soweit nicht eine Ausnahme ausdrücklich zugelassen ist. Über letztere hat die Ortspolizeibehörde zu befinden. Auch von den zwingenden

Vorschriften kann Befreiung (Dispens) erteilt werden, aber nur dann, wenn die Durchführung der Vorschrift im Einzelfall zu einer offenbar nicht beabsichtigten Härte führen würde und die Abweichung von den Vorschriften mit dem öffentlichen Interesse nicht unvereinbar ist, oder wenn das öffentliche Interesse eine Änderung erfordert. Zuständig für die Erteilung der Dispense ist der Bezirksausschuß [Regierungspräsident]. Gegen die Beschlüsse des Bezirksausschusses findet binnen zwei Wochen die beim Bezirksausschuß [Regierungspräsidenten] einzubringende Beschwerde an den Oberpräsidenten statt, der endgültig entscheidet (Wohnungsgesetz vom 28. März 1918 Art. 4, § 5 — Gesetzsamml. S. 31 —).

Abschnitt II.

Bauvorschriften.

§ 6. Zugänglichkeit der Grundstücke und Lage der Gebäude.

Es dürfen nur solche Grundstücke bebaut werden, welche unmittelbar an einen öffentlichen Fahrweg (Fahrstraße) grenzen. Auf anderen Grundstücken kann die Ortspolizeibehörde die Errichtung von Gebäuden gestatten, wenn die Grundstücke einen eigenen Zugang — von angemessener Breite und Befestigung — von einem öffentlichen Fahrweg (Fahrstraße) haben oder wenn für sie die Herstellung eines solchen Zugangs sichergestellt ist. Für Gebäude auf freiliegenden Feldgrundstücken sind weitere Ausnahmen zulässig.

Für die Errichtung von Wohngebäuden an Straßen oder Straßenteilen, die nach den polizeilichen Bestimmungen des Orts für den öffentlichen Verkehr und den Anbau noch nicht fertiggestellt sind, gelten die hierfür auf Grund des Baufluchtliniengesetzes vom 2. Juli 1875 (Gesetzsamml. S. 561) erlassenen ortsstatutarischen und polizeilichen Bestimmungen.

Wo Baufluchtlinien nach Maßgabe dieses Gesetzes bestehen, müssen alle Gebäude in der Baufluchtlinie errichtet werden. Das gänzliche oder teilweise Zurücktreten der Gebäude hinter die Baufluchtlinie oder sonstige Abweichungen dürfen von der Ortspolizeibehörde gestattet werden, wenn sichergestellt ist, daß eine Verunstaltung des Straßen-, Orts- oder Landschaftsbildes vermieden wird. Wegen eines Überschreitens der Baufluchtlinie ist der § 11 des genannten Gesetzes maßgebend.

§ 7. Bauliche Ausnutzbarkeit der Grundstücke.

Die Vorschriften dieses Paragraphen bleiben der Regelung durch Regierungs- oder Ortspolizeiverordnung überlassen.

§ 8. Gebäudeabstand.

Die Vorschriften dieses Paragraphen bleiben der Regelung durch Regierungs- oder Ortspolizeiverordnung überlassen.

§ 9. Gebäudehöhe.

Als Gebäudehöhe ist das Maß von der Erdoberfläche des Außengeländes vor den Umfassungswänden bis zur Schnittlinie der Umfassungswände mit der Dachfläche zu verstehen. Ist eine Dachbrüstung (Attika) vorhanden, so ist ihre Höhe mitzurechnen.

Bei Giebelhäusern wird die Gebäudehöhe bis zu ein Drittel Höhe des Giebeldreiecks gerechnet.

Ist die Erdoberfläche in der Längsrichtung der Frontwand geneigt, so ist das mittlere Höhenmaß in Rechnung zu stellen.

Aufbauten auf den an der Straße liegenden Frontwänden, wie Türme, Giebel, Luken, sind der Fronthöhe im Durchschnitt zuzurechnen. Ausnahmen im Einzelfalle kann die Ortspolizeibehörde zulassen, wenn zu befürchten ist, daß infolge des Wechsels in den Hauptgesimshöhen das Straßenbild nachteiliger beeinflußt wird, als es von einzelnen Aufbauten zu erwarten ist. Auch bei Eckhäusern und solchen Häusern, die Straßenzielpunkte bilden, können im Interesse schönheitlicher Ausgestaltung von der Ortspolizeibehörde Ausnahmen zugelassen werden.

Die weiteren Vorschriften dieses Paragraphen bleiben der Regelung durch Regierungs- oder Ortspolizeiverordnung überlassen.

§ 10. Begriffsbestimmungen.

1. **Massiv.** Als massiv gilt Mauerwerk aus Stein und Beton.

2. **Feuerfest.** Als feuerfest gelten außer den massiven folgende Konstruktionen:

a) Decken, Dächer, Wände und Stützen aus unverbrennlichen Baustoffen, Werkstücke aus natürlichen Gesteinen nur insoweit, als ihr Gefüge durch Brand nicht gelockert wird;

b) Decken, Wände und Stützen aus Beton mit und ohne Eiseneinlage, glutsicher umhüllte Eisenfachwerkwände, Wände und Stützen aus gebrannten Steinen mit Eiseneinlagen und ähnliche Konstruktionen;

c) Treppen aus Beton mit und ohne Eiseneinlage, aus Kunststein mit Eiseneinlage und ähnliche Konstruktionen. Freitragende Treppen aus Granit gelten nicht als feuerfest.

Decken, Wände und Treppen mit nicht glutsicher umhüllten Eisenteilen gelten nicht als feuerfest.

3. **Feuersicher** sind außer den feuerfesten folgende Konstruktionen:

a) Decken, die zwar aus unverbrennlichen Baustoffen bestehen, aber nicht glutsicher umhüllte Eisenteile aufweisen, ferner ausgestakte, mit unverbrennlichen Baustoffen ausgefüllte und unterhalb durchweg verputzte oder mit einer gleichwirksamen Bekleidung versehene Holzbalkendecken;

b) Wände aus Gips-, Kunststein- u. dgl. Platten, ferner beiderseits verputzte Brettwände oder ausgemauerte oder ausgestakte Fachwerkwände, Rabitzwände, Drahtziegelwände u. dgl.;

c) Treppen aus Eisen, Hausteinen, Buchen- oder Eichenholz; Treppen aus anderem Holz nur dann, wenn die Unterseiten geputzt sind;

d) eiserne Türen und Klappen mit Asbesteinlage sowie hölzerne Türen und Klappen, die allseitig mit Eisenblech beschlagen sind und feuersicheren Anschlag haben;

e) Dächer, die mit einem gegen die Übertragung von Feuer von außen genügenden Schutz bietenden Stoffe — z. B. mit Stein- oder Zementplatten, Schiefer, Dachziegel, Metall, Dachpappe, Ruberoid, Holzzement, Glas oder dgl. — gedeckt sind.

§ 11. Standsicherheit.

Bauliche Anlagen sind in allen Teilen nach den Erfahrungen der Baukunst aus guten zweckentsprechenden Baustoffen herzustellen. Die Anforderungen, welche an die Festigkeit der Baustoffe zu stellen die Zahlen, die den Festigkeitsberechnungen zugrunde zu legen und die Belastungen, die für den Baugrund und die einzelnen Gebäudeteile zulässig sind, sowie sonstige Konstruktionsvorschriften müssen denjenigen entsprechen, die im Regierungsamtsblatte öffentlich bekanntgemacht werden.

Tragende Teile von Stein oder Metall dürfen nicht auf Holz gelagert werden. Ausnahmen kann die Ortspolizeibehörde zulassen.

Eiserne Träger und Stützen sind auf Verlangen der Ortspolizeibehörde glutsicher zu ummanteln.

Verzierungen, Gesimse und sonstige Bauteile am Äußern eines Gebäudes dürfen nur in solchen Baustoffen hergestellt werden, die sich in dauerhafter Weise an dem Baukörper befestigen lassen.

§ 12. Grund- und Kellermauern.

Massive Mauern und Pfeiler müssen auf festem, natürlichem oder künstlich befestigtem Boden unter Frosttiefe gegründet sein. Für Kleinhäuser kann die Ortspolizeibehörde von der Vorschrift, daß die Mauern bis unter Frosttiefe geführt werden sollen, Ausnahmen zulassen.

Zur Verhütung des Aufsteigens und des seitlichen Eindringens der Bodenfeuchtigkeit sind Grund- und Kellermauern in Gebäuden mit Räumen zum dauernden Aufenthalt von Menschen (§ 26) durch Isolierung zu schützen.

§ 13. Aufgehende Wände.

Die Vorschriften dieses Paragraphen bleiben der Regelung durch Regierungs- oder Ortspolizeiverordnung überlassen.

§ 14. Brandmauern.

Brandmauern sind Mauern, die bestimmt sind, die Verbreitung eines Brandes zu verhindern. Sie müssen von Grund aus massiv ohne Öffnungen und Hohlräume in der Stärke von mindestens einem Stein hergestellt und in ganzer Gebäudetiefe bis 30 cm über die feuersichere Bedachung geführt werden. Hölzerne Träger, Balken und Rahmstücke dürfen in Brandmauern nur eingelegt werden, wenn die Mauer noch mindestens 13 cm stark verbleibt und auf der anderen Seite verputzt wird.

Brandmauern sind herzustellen:

a) zum Abschluß von Gebäuden, die unmittelbar an der Nachbargrenze errichtet werden. (Wegen der Doppel-, Gruppen- und Reihenhäuser vgl. den vorletzten Absatz dieses Paragraphen.)

b) zur Trennung von Räumen mit Feuerstätten von anderen Räumen auf demselben Grundstück, die infolge ihrer Bauart oder Benutzung der Feuersgefahr besonders ausgesetzt sind,

c) in ausgedehnten Gebäuden mindestens in Abständen von 40 m.

Die Ortspolizeibehörde kann zulassen, daß Brandmauern zwecks einheitlicher Benutzung der Räume durch Öffnungen durchbrochen werden. Diese sind im Dachgeschoß stets, in den übrigen Geschossen in der Regel mit feuer- und rauchsicheren Türen zu versehen (§ 10).

In Doppel-, Gruppen- und Reihenhäusern, sofern sie Einfamilienhäuser, Kleinhäuser oder Mittelhäuser (§ 23) sind, ist die Herstellung vorschriftsmäßiger Brandmauern zum Abschluß der Gebäude unmittelbar an der Nachbargrenze nicht erforderlich. Vielmehr kann zugelassen werden, daß die Trennungswand zwischen zwei Gebäuden einen halben Stein stark oder als Fachwerkwand hergestellt wird. Sie braucht nicht über Dach geführt zu werden, muß aber beiderseitig bis unter die Dachhaut geputzt sein. Mindestens in Abständen von 40 m sind die Trennungswände massiv ohne Öffnungen in der Stärke der Brandmauern herzustellen, brauchen aber für den Fall feuerfester Eindeckung nur bis unter die Dachhaut geführt zu werden.

Enthält ein einzeln stehendes Einfamilienhaus oder ein Kleinhaus Wohn- und Wirtschaftsräume unter einem Dach, kann die Trennungswand ebenfalls einen halben Stein stark oder als Fachwerkwand hergestellt und von ihrer Überdachführung abgesehen werden, wenn sie durch beiderseitigen Verputz auch im Dachraum feuersicher und wenn die Eindeckung feuerfest ist.

§ 15. Decken.

Zur Verfüllung von Decken, insbesondere von Holzbalkendecken, darf kein Stoff verwendet werden, der gesundheitsschädliche, insbesondere verwesende oder fäulnisfähige Bestandteile enthält. Es ist deshalb namentlich die Verwendung von Bauschutt, Gips, Kehricht, Papierstücken oder Lumpen verboten.

Vor der regensicheren Eindeckung eines Gebäudes darf nicht mit der Verfüllung der Decken vorgegangen werden.

Holzbalkendecken in Räumen zum dauernden Aufenthalt von Menschen (§ 26) müssen verputzt werden; doch kann die Ortspolizeibehörde Ausnahmen zulassen. In Einfamilienhäusern und Kleinhäusern (§ 28) sind Holzbalkendecken auch ohne Verputz oder Verschalung zulässig.

Die Decken, über welchen sich Waschküchen, Badestuben, Räucherkammern und andere der Schädigung durch Wasser oder Feuer besonders ausgesetzte Räume befinden, müssen massiv hergestellt werden. Ausnahmen hiervon kann die Ortspolizeibehörde zulassen, wenn es sich um nachträgliche Einrichtungen handelt.

Durchfahrten unter Räumen zum dauernden Aufenthalt von Menschen (§ 26) müssen feuersichere oder feuerfeste Decken (§ 10) erhalten.

Kellerdecken in Wohngebäuden, die für mehr als eine Familie bestimmt sind, und in Kellerräumen, die zur Lagerung feuergefährlicher oder fäulnisfähiger Stoffe dienen, müssen massiv (§ 10) sein. Ausnahmen können von der Ortspolizeibehörde zugelassen werden. Kellerdecken in Kleinhäusern (§ 28) brauchen nicht massiv hergestellt zu werden.

§ 16. Dächer.

Dächer und Dachteile müssen feuersicher (§ 10) eingedeckt sein. Stroh-, Rohr-, Ret- und Schindeldächer dürfen von der Ortspolizeibehörde in Gebieten der offenen Bauweise und für landwirtschaftliche Bauten zugelassen werden. Solche Dächer müssen aber von der Nachbargrenze und von anderen Gebäuden desselben Grundstücks mindestens 15 m, von Gebäuden mit Bedachung der gleichen Art mindestens 25 m entfernt bleiben. Es darf zur Befestigung des nicht feuersicheren Eindeckungsstoffes nur unverbrennliches Material verwendet werden.

Bei steilen Dächern kann die Ortspolizeibehörde Schutzmaßregeln gegen das Herabfallen von Schnee, Eis und Teilen der Dachdeckung, ferner die Anbringung von Standflächen für Ausbesserungsarbeiten und für Schornsteinreinigung, von Aussteigeluken, Leiterhaken u. dergl. fordern.

Gegen das Herabfallen von Glasstücken bei Glasdächern und Oberlichten sind Schutzvorrichtungen anzubringen, sofern nicht Drahtglas verwendet wird.

Wo Dächer und Abdeckungen von Gebäudeteilen unmittelbar auf die Straße oder auf die Nachbargrenze entwässern, müssen Vorkehrungen zum Abfangen und Ableiten des Dachwassers getroffen werden (Rinnen, Abfallrohre, Zwischendächer). Das auf die Straße geleitete Wasser muß mit der Straßenentwässerung in Verbindung gebracht werden.

§ 17. Treppen.

Jede Treppe einschließlich der Treppenabsätze muß sicher gangbar sein. Treppen müssen mit Handgeländer versehen sein. Bei Wendelstufen darf der Auftritt in einer Entfernung von 15 cm von der schmalsten Stelle nicht geringer als 10 cm sein. Treppen müssen überall mindestens 1,80 m Kopfhöhe aufweisen.

Jedes nicht zu ebener Erde liegende Wohngeschoß muß durch eine oder mehrere Treppen zugänglich sein, von denen der Ausgang ins Freie jederzeit gesichert ist (notwendige Treppen). Ausnahmen bezüglich des Dachgeschosses können von der Ortspolizeibehörde mit Rücksicht auf die besondere Benutzungsart zugelassen werden. Von der Mitte eines Raumes zum dauernden Aufenthalt von Menschen aus muß eine Treppe auf höchstens 25 m Entfernung erreichbar sein.

Alle notwendigen Treppen müssen vom Tageslicht genügend erhellt werden und in unmittelbarer Verbindung durch alle Vollgeschosse führen.

Für Treppenzahl, Laufbreite,*) Steigungsverhältnis und Bauart der Treppen gilt folgendes:

a) Liegen zum dauernden Aufenthalt von Menschen bestimmte Räume (§ 26) in Gebäuden mit mehr als zwei Vollgeschossen so ist je nach der Zahl der an ihr liegenden selbständigen Wohnungen (§ 26) zu unterscheiden:

1. In Mehrfamilienhäusern von mehr als zwei Vollgeschossen, von denen jedes zwei und mehr Wohnungen enthält, müssen entweder zwei feuersichere oder eine feuerfeste Treppe (§ 10) vorhanden sein. Die Summe der Laufbreiten der beiden feuersicheren Treppen muß wenigstens 2,00 m, die Laufbreite der einen feuerfesten Treppe mindestens 1,25 m betragen. Das Steigungsverhältnis darf im ersteren Falle nicht steiler als 19:26 cm für die Haupt- und 20:25 cm für die Nebentreppe sein, im letzteren Falle soll es nicht steiler als 19:26 cm sein. Die Treppenräume müssen feuersichere Decke, massive Wände und unmittelbaren Ausgang ins Freie haben und gegen Verqualmung aus dem Kellergeschoß in ausreichender Weise gesichert sein. Wegen der Mittelhäuser s. Buchstabe c).

2. In Mehrfamilienhäusern mit mehr als zwei Vollgeschossen, von denen jedes nur eine Wohnung enthält, muß die notwendige Treppe feuersicher sein, mindestens 1 m Laufbreite und ein Steigungsverhältnis nicht steiler als 19:26 cm haben. Der Treppenraum muß feuersichere Decke und massive Wände erhalten, die im obersten Lauf mindestens 25 cm Stärke haben.

3. In Einfamilienhäusern (§ 28) mit mehr als zwei Vollgeschossen muß die notwendige Treppe feuersicher sein, mindestens 0,90 m Laufbreite und ein Steigungsverhältnis nicht steiler als 20:25 cm haben.

b) Liegen zum dauernden Aufenthalt von Menschen bestimmte Räume in Gebäuden mit nicht mehr als zwei Vollgeschossen, so muß die notwendige Treppe feuersicher sein und sich in einem Raume mit feuersicherer Decke und feuersicheren Wänden befinden, sobald sie den Zugang zu selbständigen Wohnungen bildet. Die Laufbreite der Treppe muß mindestens 90 cm und das Steigungsverhältnis darf nicht steiler als 20:25 cm sein.

c) In Mittelhäusern (§ 28) muß die notwendige Treppe feuersicher sein, mindestens 0,90 m Laufbreite, wobei aber die Treppenabsätze eine Breite von 1 m erhalten müssen, und ein Steigungsverhältnis nicht steiler als 20:25 cm haben. Der Treppenraum muß feuersichere Decke und massive Wände erhalten.

Im Keller- und Dachgeschoss von Mittelhäusern liegende Treppen brauchen nur 70 cm breit zu sein und dürfen Steigungen von 45° aufweisen.

d) Für Kleinhäuser gelten die Bestimmungen zu b) nicht. Die Treppen in Kleinhäusern, die nur von einer Familie benutzt werden, dürfen beliebige sein, d. h. es werden keine besonderen Anforderungen über Ausmaß und Anlagevorschriften vorgeschrieben.

Ist mehr als eine selbständige Wohnung in Kleinhäusern vorhanden, so muß die Treppe unmittelbar ins Freie führen oder an einem mit einem unmittelbaren Ausgang ins Freie versehenen Flur liegen, dessen Wände feuersicher sind.

Als Kellertreppen in Kleinhäusern genügen auch hölzerne Leiterstufen, die von Küchen und Nebenräumen unmittelbar zugänglich sein dürfen.

§ 18. Feuerstätten.

Feuerstätten in Gebäuden müssen in allen Teilen aus unverbrennlichen Baustoffen hergestellt werden und dürfen nur in solchen Räumen angelegt werden, die vermöge ihrer baulichen Beschaffenheit und Lage zu Bedenken wegen Feuersgefahr nicht Anlaß geben.

Kesselfeuerungen und andere größere Feuerungen dürfen nur unmittelbar auf Fundamenten oder auf massiver Unterlage errichtet werden.

Nicht massiver Fußboden unter Feuerstätten muß gegen Feuersgefahr gesichert sein.

Eiserne Feuerstätten müssen mindestens 25 cm, Feuerstätten aus Stein oder Kacheln mindestens 15 cm von verputztem oder feuersicher umkleidetem Holzwerk entfernt sein. Von freiem Holzwerk (Konstruktionshölzern) müssen diese Entfernungen 50 bezw. 25 cm betragen; Türbekleidungen, Fußleisten usw. werden dem verputzten Holzwerk gleich geachtet.

Eiserne Feuerstätten in Räumen, in denen feuergefährliche Arbeiten vorgenommen oder leicht entzündliche Stoffe gelagert werden, sind mit einem Schutzmantel aus Eisenblech zu umgeben oder in einer anderen gleichwertigen Weise zu isolieren.

§ 19. Rauchrohre.

Die Rauchrohre der Feuerstätten müssen aus unverbrennlichem, dichtem Stoff hergestellt und innerhalb desselben Geschosses in die Schornsteine geführt werden. Bei Anschluß mehrerer Rauchrohre

*) Die Laufbreite der Treppen wird in Höhe des Handgeländers gemessen.

an denselben Schornstein müssen die Einmündungen in verschiedener Höhe liegen. Eiserne Rauchrohre müssen von verputztem Holzwerk mindestens 25 cm, von freiem Holzwerk (Konstruktionshölzern) mindestens 50 cm entfernt bleiben. Sind die Rohre unverbrennlich ummantelt, so genügt eine Entfernung von 12 cm.

In Rauchrohren von Heizöfen und in letzteren selbst dürfen Absperrvorrichtungen, die das Entweichen der Feuergase in den Schornstein vollständig verhindern, nicht angebracht werden. Wenn ein Rauchrohr unmittelbar ins Freie führt, muß seine Ausmündung mit einem Funkenfänger versehen sein.

Wenn Rauchrohre nicht geradlinig geführt werden, müssen sie an den Brechpunkten mit Reinigungsschiebern versehen sein.

§ 20. Schornsteine.

Schornsteine müssen massiv mit vollen Fugen gemauert sein und gleichbleibenden lichten Querschnitt erhalten. Vor Holzfachwerkwänden muß das Schornsteinmauerwerk ohne Verband mit der Fachwandausmauerung aufgeführt werden, wobei der Zwischenraum zwischen Fachwand und Schornstein voll auszumauern ist. Auf Holz oder andere brennbare Bauteile dürfen Schornsteine weder mittelbar noch unmittelbar aufgesetzt oder gestützt werden.

Gemauerte Schornsteine müssen auf den Außenseiten geputzt und auf den Innenseiten glatt ausgestrichen werden. Die Schornsteine müssen so weit über die Dachfläche hinausgeführt werden, daß eine gute Absaugung und Ableitung des Rauches stattfindet und eine Gefährdung der Umgebung durch Funken, Ruß und Rauch vermieden wird. Die Seitenwände (Wangen) von gemauerten Schornsteinen müssen mindestens ½ Stein stark; an der Außenseite von Umfassungswänden mindestens 1 Stein stark sein. Wenn zwei Brandmauern nebeneinander in gleicher Höhe vorhanden sind, genügt ½ Stein Stärke für die Grenzwangen.

Gemauerte Schornsteine von Zentralheizungen und größeren Feuerstätten, wie Backöfen, Schmieden, Darren u. dergl., müssen Wangenstärken von mindestens 1 Stein erhalten.

Die Innenflächen der Schornsteine müssen von Balken und Dachhölzern mindestens 20 cm entfernt bleiben.

Die Schornsteine sind so einzurichten, daß sie in allen Teilen ordnungsmäßig gereinigt werden können. Die Reinigungsöffnungen müssen mindestens die Größe des lichten Schornsteinquerschnitts haben und mit feuer- und rauchsicheren Verschlußvorrichtungen versehen werden. Ungeschütztes Holzwerk muß mindestens 50 cm, feuersicher verkleidetes mindestens 30 cm von den Reinigungsöffnungen entfernt bleiben. Soll die Reinigung eines Schornsteins vom Dache aus geschehen, müssen Aussteigeluken und bei steilen Dächern Laufbretter angebracht werden.

Schornsteine, die durch Gelasse führen, in denen leicht entzündliche Stoffe lagern oder verarbeitet werden, sind durch Latten- oder Gitterverschläge in mindestens 30 cm Abstand zu umgeben.

Aufsätze auf Schornsteinen sind zulässig, wenn sie die ordnungsmäßige Reinigung nicht verhindern.

Es werden weite — besteigbare — und enge — unbesteigbare — Schornsteinrohre unterschieden.

Die besteigbaren Schornsteine müssen eine Lichtweite von mindestens 43 : 43 cm haben und dürfen außer den Raucheinmündungen und einer Einsteigöffnung am Fuße keine weiteren Öffnungen in den Wänden erhalten. Bei größeren Abmessungen lichter Weite sind Steigeisen in Abständen von nicht über 50 cm anzubringen.

Jedes unbesteigbare Schornsteinrohr ist mit einem überall gleichen Querschnitte aufzuführen, der im lichten nicht geringer als 14 : 14 cm sein darf.

In ein unbesteigbares Schornsteinrohr von 225 qcm innerer Weite dürfen höchstens drei Rauchrohre gewöhnlicher Zimmeröfen eingeführt werden. Diese dürfen nicht in verschiedenen Geschossen liegen. Ausnahmen kann die Ortspolizeibehörde zulassen; insbesondere dürfen einzelne Feuerstätten in Dach- und Kellergeschossen, wenn ihre Benutzung seltener zu erwarten steht, auch an Schornsteine der Vollgeschosse angeschlossen werden. Für jedes weiter einzuführende Rauchrohr ist die Weite des Schornsteinrohrs um 75 qcm zu vergrößern. Ein Kochherd wird bei der Berechnung der Zahl und Weite der Schornsteinrohre zwei Zimmeröfen gleichgestellt.

Anders als senkrecht dürfen Schornsteinrohre nur geführt werden, wenn sie in massiven Wänden liegen oder durch feuerfeste Konstruktionen unterstützt sind. Hierbei darf die Neigung für besteigbare Schornsteine nicht mehr als 60°, für unbesteigbare Schornsteinrohre nicht mehr als 45° betragen. Wangen zwischen geschleiften Schornsteinrohren müssen 1 Stein stark sein.

In Küchen und Werkstätten mit Dampfentwicklung müssen Wrasenrohre angebracht werden. Die Mitbenutzung der Wrasenrohre zu Feuerungs- und Lüftungszwecken ist verboten. Auspuffrohre von Verbrennungskraftmaschinen (Gas-, Benzin-, Petroleummotoren u. a.) sind in besondere Abzugsrohre einzuführen.

§ 21. Wasserversorgung.

Die Vorschriften dieses Paragraphen bleiben der Regelung durch Regierungs- oder Ortspolizeiverordnung überlassen.

§ 22. Entwässerung und Beseitigung der Abfallstoffe.

Die Vorschriften dieses Paragraphen bleiben der Regelung durch Regierungs- oder Ortspolizeiverordnung überlassen.

§ 23. Lichtschächte.

Die Lichtschachtwände müssen über die Dacheindeckung geführt werden. Die Sohle des Lichtschachtes muß für die Reinigung zugänglich, wasserdicht und an die Hausentwässerung angeschlossen sein. Öffnungen nach dem Dachraum müssen mit rauch- und feuersicherem Verschluß versehen sein. Öffnungen, die lediglich der Lichtzufuhr zum Dachraum dienen, können aus Drahtglas hergestellt werden, das fest in die Lichtschachtwände eingefügt werden muß. Bei Lichtschächten in Gebäuden mit nicht mehr als zwei Vollgeschossen genügt die feuersichere Herstellung der umschließenden Wände, während für solche mit mehr als zwei Vollgeschossen massive Lichtschachtwände gefordert werden müssen.

Die Mindestgröße eines Lichtschachtes in Gebäuden mit nicht mehr als zwei Vollgeschossen muß 3 qm bei 1,50 m kleinster Abmessung, in Gebäuden mit mehr als zwei Vollgeschossen 6 qm mit 2 m kleinster Abmessung betragen.

§ 24. Äußere Gestaltung der baulichen Anlagen.

Das Äußere der baulichen Anlagen (§ 1) muß in bezug auf Bauart, Bauform, Baustoff und Farbe so beschaffen sein, daß es die einheitliche Gestaltung des Straßenbildes nicht stört; insbesondere sind Eindeckungen, die nach Farbe, Musterung und Stoff die einheitliche Gestaltung des Straßenbildes stören, nicht zulässig.

Bei der Errichtung baulicher Anlagen ist auf den Schutz der Bau- und Naturdenkmäler gegen Verunstaltung und auf die heimische Bauweise Rücksicht zu nehmen.

Die von Straßen, Plätzen oder anderen öffentlichen Verkehrsflächen, insbesondere Wasserstraßen, Eisenbahnen, aus sichtbaren äußeren Umfassungswände sind in dauernd gutem Zustande zu erhalten.

§ 25. Einfriedigung der Grundstücke, Vorgärten.

Alle bebauten Grundstücke sind auf der Straßenfluchtlinie — wo eine solche nicht besteht, auf der Straßengrenze —, soweit diese nicht mit Gebäuden besetzt sind, sowie auf den seitlichen, zwischen der Straßenfluchtlinie oder Straßengrenze und der Gebäudevorderseite liegenden Grundstückgrenzen mit einer Einfriedigung zu versehen.

Durch die Vorgartenflächen zu den Hauseingängen und zu den Zugängen und Zufahrten zum Hofe führende Wege können teilweise oder ganz von der Einfriedigung frei bleiben. Werden in den Einfriedigungen Türflügel angebracht, so dürfen sie über die Straßenfluchtlinie nicht hinausschlagen.

Vorgärten sind mit angemessener Bepflanzung zu versehen und in dieser Weise zu unterhalten. Die Benutzung der Vorgärten zu anderen Zwecken als zur gartenmäßigen Ausnutzung kann von der Ortspolizeibehörde gestattet werden; jedoch darf durch eine solche Benutzung die einheitliche Gestaltung des Straßenbildes nicht gestört werden.

In den Vorgärten kann die Ortspolizeibehörde die Errichtung von Lauben und Gartenhäuschen zulassen, wenn sich ihre Größe und Bauart dem Charakter der Umgebung anpaßt und die Gemeinde hierzu die Einwilligung erteilt.

§ 26. Räume zum dauernden Aufenthalt von Menschen.

Es werden unterschieden: Räume, die zum dauernden und solche, die nicht zum dauernden Aufenthalt von Menschen bestimmt sind.

a) Als Räume zum dauernden Aufenthalt von Menschen ohne Rücksicht auf die Dauer der tatsächlichen Benutzung gelten außer Wohn-, Schlaf-, Arbeits- und Geschäftsräumen auch Wohndielen, Küchen, Gesindestuben, Werkstätten, Arbeiterkantinen, Bureaus, Verkaufsläden, Versammlungsräume;

b) als Räume, die nicht zum dauernden Aufenthalt von Menschen bestimmt sind, gelten insbesondere Gänge, Flure, Dielen, Vorplätze, Treppen, Treppenflure, Kleiderablagen, Aborte, für den Hausbedarf bestimmte Badestuben, Rollkammern, Speisekammern, Vorratsräume, Keller- und Bodengelasse, Räucherkammern, Trockenböden, Wintergärten, Gewächshäuser, Kegelbahnen, Heizräume, Kessel- und Maschinenräume für Heizungs-, Lüftungs-, Beleuchtungs- und Aufzugseinrichtungen, Lagerkeller, auch wenn in ihnen die mit der Lagerung und Aufbewahrung notwendig verbundenen Arbeiten verrichtet werden, u. dergl., ferner in Einfamilienhäusern, Kleinhäusern und Mittelhäusern (§ 28), Waschküchen, Spülküchen und für den Hausbedarf bestimmte Werkstätten.

Alle Räume, die zum dauernden Aufenthalt von Menschen bestimmt sind, müssen gegen Feuchtigkeit und Witterungseinflüsse in ausreichendem Maße geschützt sein; sie müssen mit unmittelbar ins Freie führenden Fenstern von solcher Zahl, Lage, Größe und Beschaffenheit versehen sein, daß hinreichende Tagesbeleuchtung erzielt und genügende Lüftung möglich wird.

Jede Wohnung muß wenigstens einen durchsonnten Wohnraum haben. Nordlage einer Wohnung in allen ihren Teilen ist verboten.

Räume zum dauernden Aufenthalt von Menschen in Häusern mit mehr als zwei Vollgeschossen müssen eine lichte Höhe von mindestens 2,75 m haben. In den Obergeschossen der Mittelhäuser, in Einfamilienhäusern und in Kleinhäusern (§ 28) genügt eine lichte Höhe von 2,50 m. Zubehörräume im Dachgeschoß, die zum dauernden Aufenthalt von Menschen zugelassen sind, dürfen nicht weniger als 2,20 m lichte Höhe aufweisen. Bei ungleichen Höhenlagen der Decken oder der Fußböden hat Durchschnittsberechnung stattzufinden.

Selbständige Wohnungen sind solche Wohnungen, die für einen Hausstand bestimmt sind und in ihrem Hauptteil selbständig abgeschlossen werden können.

Auf eine Treppe dürfen in jedem Geschoß im allgemeinen nicht mehr als zwei Wohnungen angewiesen sein. Die Zahl kann auf drei erhöht werden, wenn die Grundrißgestaltung eine Querlüftung jeder der drei Wohnungen gestattet.

Der Fußboden jedes zum dauernden Aufenthalt von Menschen bestimmten Raumes muß mindestens 0,40 m über dem höchsten Grundwasserstande liegen.

Die Fußböden der Räume zum dauernden Aufenthalt von Menschen müssen gedielt oder mit einem anderweitigen dichten und abwaschbaren Belag versehen werden.

Flure und Gänge, welche den Zugang zu Räumen zum dauernden Aufenthalt von Menschen bilden, müssen ausreichend belichtet und genügend zu lüften sein.

Räume zum dauernden Aufenthalt von Menschen dürfen über Stallungen, Fabrik- und Lagerräumen nur eingerichtet werden, wenn die Decken der Räume darunter feuer- und dunstsicher hergestellt sind und der Zugang in einem besonderen Treppenraum mit massiven Wänden und feuersicherer Decke liegt.

§ 27. Dach- und Kellerwohnungen.

Die Vorschriften des Paragraphen bleiben der Regelung durch Regierungs- und Ortspolizeiverordnung überlassen.

§ 28. Einfamilienhäuser, Kleinhäuser, Mittelhäuser.

Begriffe.

1. Als Einfamilienhaus gilt ein Haus, das für das Wohnen nur einer Familie bestimmt ist.

Seine Eigenart als Einfamilienhaus erfährt keine Änderung durch die Unterbringung von Wohnungen für Bedienstete im Hause oder in den Nebenanlagen.

Jede Veränderung der Zweckbestimmung, insbesondere die Unterbringung von Pensions- oder Krankenanstalten, beseitigt die Eigenart als Einfamilienhaus. Ein solches Haus unterliegt den allgemeinen gültigen Vorschriften dieser Polizeiverordnung.

2. Kleinhäuser sind Wohngebäude, die folgenden Anforderungen entsprechen:

a) sie dürfen nicht mehr als zwei Vollgeschosse haben,
b) sie dürfen in jedem Geschoß nur eine geringe Anzahl von Kleinwohnungen enthalten, d. h. von solchen Wohnungen, die nach Größe, Anordnung, Raumzahl, Raumhöhe und Ausstattung den ortsüblichen Bedürfnissen der minderbemittelten Bevölkerung entsprechen,
c) sie dürfen keine Nebenwohngebäude (Seitenflügel, Mittelflügel, Quergebäude) haben, während andere Nebengebäude (Ställe, Schuppen, kleine Werkstätten, Aborte usw.) zulässig sind,
d) sie müssen — soweit nicht Dispens (§ 5, Satz 3) zugelassen wird — mit einer zur Garten- oder landwirtschaftlichen Nutzung geeigneten Freifläche von mindestens 200 qm dauernd ausgestattet sein.

3. Mittelhäuser sind Wohnhäuser für Klein- und Mittelwohnungen, die folgenden Anforderungen entsprechen:

a) sie dürfen nicht mehr als drei Vollgeschosse haben
— ein Wohnhaus verliert die Eigenschaft als Mittelhaus nicht, wenn im Bedarfsfalle Einzelwohnräume, die als Zubehör zu den unteren Großwohnungen dienen, im Dachgeschoß eingebaut sind —,
oder sie dürfen nicht mehr als zwei Vollgeschosse und ein voll ausgebautes Dachgeschoß mit selbständigen Wohnungen haben,
b) sie dürfen nicht mehr als sechs Wohnungen enthalten, wobei jedes Geschoß aus höchstens 8 Räumen zum dauernden Aufenthalt von Menschen bestehen darf, deren Größe und Ausstattung den ortsüblichen Verhältnissen bei Klein- und Mittelwohnungen entspricht,
c) sie dürfen in den unteren Vollgeschossen keine größeren Geschoßhöhen als 3,30 m, im obersten Vollgeschoß als 3 m — gerechnet von Fußbodenoberkante zu Fußbodenoberkante — haben,
d) sie dürfen keine Wohnräume im Kellergeschoß haben.

Zu 1. Einfamilienhäuser.

Im Kellergeschoß dürfen Küchen und auf der Sonnenseite Räume für Bedienstete eingerichtet werden. Der Fußboden solcher Räume darf nicht tiefer als 1 m unter der Erdoberfläche liegen. Die Wände und der Fußboden sind gegen Erdfeuchtigkeit in geeigneter Weise zu sichern. Vergl. hierzu ferner §§ 4b, 14, 15, 17.

Zu 2. Kleinhäuser.

Im Kellergeschoß dürfen Räume zum dauernden Aufenthalt von Menschen nicht untergebracht werden. Bei der Lage an Bergabhängen gelten nur die Räume als zum Kellergeschoß gehörig, deren Fußboden durchweg unterhalb des Außengeländes liegt.

Dachgeschosse, die in der Hauptsache für Wohnzwecke ausgebaut sind, gelten als Vollgeschosse. In Kleinhäusern mit zwei Vollgeschossen darf nur die Hälfte der Fläche des Dachraums zu Wohnräumen ausgebaut werden; auch dürfen diese nur als Zubehör der Geschoßwohnungen, nicht als selbständige Wohnungen dienen.

Im Dachboden über dem Kehlgebälk (Spitzboden) dürfen Trockenböden und Abstellkammern untergebracht werden. Die Ausnutzung solcher Räume für Wohnzwecke darf nur ausnahmsweise, und zwar nur für kinderreiche Familien und, solange dringender Bedarf für diese nachgewiesen wird, von der Ortspolizeibehörde gestattet werden.

Vergl. hierzu ferner §§ 2, 4b, 12, 14, 15, 17.

Zu 3. Mittelhäuser.

Im Falle des vollen Ausbaues des Dachgeschosses muß über dem Kehlgebälk genügend Raum für Abstellkammern und Trockenböden (etwa 10 qm für jede Wohnung) zur Verfügung bleiben, wenn nicht durch Ausnutzung der toten Dachwinkel usw. und durch Nebenkammern im Dachgeschoß selbst Gelegenheit zur Abstellung gegeben wird. Bei der Lage an Bergabhängen gelten nur die Räume als zum Kellergeschoß gehörig, deren Fußboden mehr als zur Hälfte unterhalb des Außengeländes liegt.

Vergl. hierzu ferner §§ 4b, 14, 17.

§ 29. Holzhäuser, Blockhäuser, Wohnlauben.

1. Holzhäuser, insbesondere Blockhäuser, dürfen für Wohnzwecke unter folgenden Bedingungen hergestellt werden:

a) sie dürfen nicht mehr als zwei selbständige Wohnungen (§ 26) enthalten,
b) sie dürfen nicht mehr als zwei Wohngeschosse enthalten,
c) die Entfernung der Gebäude von den Nachbargrenzen muß mindestens 5 m, diejenige von gleichartigen Gebäuden mindestens 10 m betragen,
d) das Sockelmauerwerk der Gebäude muß massiv sein (§ 10),
e) sie müssen mit einem feuersicheren Dach versehen sein (§ 10).

2. Wohnlauben sind als Wohnhäuser (Wohngebäude) im Sinne des § 13 u. f. des Gesetzes, betreffend die Gründung neuer Ansiedlungen in den Provinzen Ostpreußen, Westpreußen, Brandenburg, Pommern, Posen, Schlesien, Sachsen und Westfalen vom 10. August 1904 (Gesetzsamml. S. 227), des § 1 des Gesetzes, betreffend die Gründung neuer Ansiedlungen im Herzogtum Lauenburg vom 4. November 1874 (Amtl. Wochenblatt für das Herzogtum Lauenburg S. 291 u. f.) und des § 12 des Gesetzes, betreffend die Anlegung und Veränderung von Straßen und Plätzen in Städten und ländlichen Ortschaften, vom 2. Juli 1875 (Gesetzsamml. S. 561) nicht anzusehen, wenn sie nur vorübergehend, und zwar höchstens für die Zeit vom 15. April bis 15. Oktober jedes Jahres zum Aufenthalt von Menschen dienen und wenn die Bewohner anderwärts eine feste Wohnung haben.

a) Sie dürfen eine Grundfläche bis 30 qm und außerdem eine Veranda von höchstens 10 qm erhalten.
b) Die Entfernung der Wohnlauben von den Nachbargrenzen muß mindestens 5 m betragen. Wohnlauben dürfen auch unmittelbar an den Nachbargrenzen gebaut werden. Für aneinander gebaute Wohnlauben gelten die Bestimmungen des § 14 Absatz 4. Von der Vorschrift der Mindestentfernung von den Nachbargrenzen kann die Ortspolizeibehörde Ausnahmen zulassen.
c) Sie dürfen nur ein Geschoß haben; jedoch ist die Anlage eines Vorratkellers in solchen Abmessungen zulässig, daß er nicht für Wohnzwecke benutzt werden kann.
d) Die Umfassungswände der Wohnlauben dürfen aus Holzfachwerk, Holz, Eisenblech, Drahtputz, Gipsdielen und ähnlichen Stoffen hergestellt werden.

e) Wohnlauben müssen mit feuersicheren Stoffen gedeckt werden. Ausnahmen kann die Ortspolizeibehörde zulassen.

f) Die Einrichtung einer Feuerstätte ist zulässig; doch muß sie in allen Teilen aus unverbrennlichen Baustoffen hergestellt werden. Unter Herden und Öfen ist der Fußboden, wenn er nicht aus unverbrennlichem Stoffe hergestellt ist, durch eine feuersichere Bekleidung und darüber durch einen mindestens 0,05 m hohen, den Durchzug der Luft gestattenden Hohlraum mit mindestens zwei Luftöffnungen zu schützen und vor den Heizöffnungen in einem Vorsprunge von 0,50 m und in einer über die Feueröffnung nach beiden Seiten hin vortretenden Breite von 0,80 m feuersicher zu bekleiden. Die Wand, an der die Feuerstätte steht, muß in der Ausdehnung der Feuerstätte und mindestens 0,20 m ringsherum darüber hinaus aus feuersicherem Stoffe bestehen oder in der angegebenen Ausdehnung feuersicher bekleidet werden. Eiserne Feuerstätten müssen von freiem Holzwerk (Konstruktionshölzern) mindestens 0,50 m entfernt sein.

g) Der Rauch ist von Feuerstätten durch dichte feuersichere Rohre unmittelbar durch das Dach oder die Wand ins Freie zu leiten. Hinsichtlich des Abstandes der Rauchrohre von Wänden oder von freiem Holzwerk gelten dieselben Bestimmungen wie für Feuerstätten.

h) Als *Nebenanlagen* der Wohnlauben sind außer Abortbuden Ställe für Kleinvieh bis zu 10 qm Fläche zulässig. Menschliche Auswurfstoffe dürfen nur in wasserdichten Behältern oder Gruben gesammelt und aufbewahrt werden.]

§ 30. Anforderungen für besondere Arten von Gebäuden.

Abgesehen von solchen Gebäudearten, über die durch besondere Polizeiverordnung bestimmte Anforderungen vorgeschrieben sind, bleibt der Ortspolizeibehörde vorbehalten, für Gebäude von größerer Ausdehnung und Feuersgefahr im Einzelfall weitergehende baupolizeiliche Anforderungen zu stellen.

Als solche Anforderungen kommen vornehmlich in Betracht: Bestimmungen über die Lage einzelner Gebäudeteile zur Straße oder zu anderen Gebäuden, über die Öffnungen nach der Straße und nach den Nachbargrundstücken, über die Entfernung von den Nachbargrenzen, über die Größe der Höfe und Freiflächen, über die Stärke und Bauart der Wände, Decken und Fußböden, über die Anlage von Feuerstätten, Schornsteinen, Brandmauern, Feuerlöscheinrichtungen, über die Ummantelung eiserner Träger und Stützen (§ 11 Absatz 3), über die Anordnung, Zahl, Breite und Steigung der Treppen und Ausgänge, über die Anlage der Luft-, Dunst- und Abwässerabzüge, über die Zuführung frischer Luft, über die Einrichtung der Aborte, Brunnen, Wasserbehälter, Heizungsvorkehrungen, über die Aufbewahrung und Beseitigung von brennbaren Abfällen oder unreinen Abgängen u. dergl.

Maschinelle und sonstige Einrichtungen, deren Betrieb Geräusche oder Erschütterungen hervorruft, dürfen nicht an solchen Mauern befestigt werden, durch die eine Übertragung derartiger Störungen auf Räume zum dauernden Aufenthalt von Menschen stattfindet.

Vergleiche auch § 31.

§ 31. Fabrikbauten.

Auf Grundstücken, die zur Errichtung gewerblicher Betriebsstätten größeren Umfanges (*Fabriken*) bestimmt sind, kann die Ortspolizeibehörde — sofern die Betriebsweise oder die Fabrikation der herzustellenden Gegenstände es erforderlich erscheinen läßt — für die Fabrikgebäude eine Bebauung nach Maßgabe der Bestimmungen dieses Paragraphen gestatten.

Für die Ermittlung der Bebauung eines Grundstückes kommt die Baumasse der Gebäude in Betracht. Die zulässige Baumasse beträgt . . . cbm für jedes Quadratmeter.

Werden Baulichkeiten auf demselben Grundstücke nicht unmittelbar aneinander gebaut, so ist zwischen ihnen ein Abstand von mindestens 5 m einzuhalten. Wenn eine oder beide der gegenüberliegenden Umfassungswände Öffnungen enthalten, die zu Räumen zum dauernden Aufenthalt von Menschen gehören, muß der Abstand dem arithmetischen Mittel aus den Höhen der beiden Baulichkeiten entsprechen. Zwischen Wohngebäuden und anderen Gebäuden können größere Abstände vorgeschrieben werden.

An Straßen errichtete Fabrikgebäude dürfen nicht höher sein, als der Abstand zwischen ihnen und der gegenüberliegenden Baufluchtlinie beträgt. Wo eine solche nicht besteht, tritt an ihre Stelle die gegenüberliegende Straßengrenze. — Keinesfalls darf die Höhe der Gebäude das Maß von . . . . m überschreiten.

§ 32. Viehställe.

In Ställen auf Wohngrundstücken muß der Fußboden undurchlässig sein. Zur Aufnahme der Stallabgänge müssen in den Ställen oder in ihrer nächsten Nähe undurchlässige Gruben angelegt werden.

Wenn Stallgebäude mit Gebäuden, in welchen sich Räume zum dauernden Aufenthalt von Menschen befinden, zusammengebaut werden, oder wenn in ihnen derartige Räume eingerichtet werden, so dürfen Öffnungen der Stallräume nur in einer — nach allen Richtungen gemessenen — Entfernung von 4 m von den Fenstern der Räume zum dauernden Aufenthalt von Menschen angelegt werden. (Vgl. auch § 26 letzter Absatz.)

Die vorstehenden Bestimmungen finden auf Ställe für kleine *Tiergattungen* (*Kaninchen* usw.), für eine einzelne Ziege, ein einzelnes Schwein und insbesondere für Federvieh keine Anwendung.

Abschnitt III.

§ 33. Schutzmaßregeln bei der Ausführung von Gebäuden und Arbeiterfürsorge.

Die *Bauausführenden* (*Bauunternehmer oder Bauleiter*) haben die Vorkehrungen zu treffen, die geeignet sind, um Unglücksfälle der auf dem Baugrundstück beschäftigten und dort sonst verkehrenden Personen zu verhüten, sowie Verkehrsstockungen auf der Baustelle und in ihrer Nähe vorzubeugen.

Im einzelnen wird bestimmt: [Sieh Anlage.]

Abschnitt IV.

§ 34. Abbruch von Gebäuden.

Spätestens eine Woche vor dem Abbruch eines Gebäudes ist der Ortspolizeibehörde zur Erteilung der Abbrucherlaubnis (Abbruchsschein) schriftlich Anzeige in zwei Stücken zu erstatten. Die Anzeige muß enthalten:

1. die genaue Bezeichnung des Gebäudes;
2. die Angabe, ob darin
   a) eiserne Fachwerkkonstruktionen,
   b) mit Eisen bewehrte Bauteile aus Stein oder Beton vorhanden sind;
3. Name, Stand und Wohnung des Abbruchunternehmers.

[Vor Behändigung des Abbruchsscheines darf mit dem Abbruch nicht begonnen werden.]

Abschnitt V.

Allgemeine Bestimmungen.

§ 35. Vorhandene bauliche Anlagen.

Auf bauliche Anlagen, die zur Zeit ihrer Errichtung den damals gültigen baupolizeilichen Bestimmungen entsprachen, und auf Bauten, die auf Grund genehmigter Bauentwürfe bereits begonnen sind, findet die *nachträgliche Durchführung* etwa nicht beobachteter Bestimmungen dieser Bauordnung nur dann statt, wenn polizeiliche Gründe, insbesondere solche der öffentlichen Sicherheit, es notwendig machen.

Für bauliche Arbeiten, welche einzeln oder zusammengenommen eine erhebliche Veränderung eines Gebäudes oder Gebäudeteils darstellen, kann die Baugenehmigung auch davon abhängig gemacht werden, daß gleichzeitig die durch den Entwurf an sich nicht berührten Gebäude und Gebäudeteile, soweit sie den Vorschriften dieser Bauordnung widersprechen, mit dieser in Übereinstimmung gebracht werden.

§ 36. Veränderungen der Grundstückgrenzen.

Werden durch Veränderungen der Grenzen bebauter Grundstücke Verhältnisse geschaffen, welche den Vorschriften dieser Bauordnung zuwiderlaufen, so sind die betreffenden Gebäude oder Gebäudeteile entsprechend umzugestalten oder zu beseitigen.

§ 37. Inkrafttreten und Übergangsbestimmungen.

Diese Bauordnung tritt am Tage der amtlichen Veröffentlichung unter gleichzeitiger Aufhebung alter mit ihr im Widerspruch stehenden Bestimmungen, insbesondere der Bauordnung vom . . . . . . in Kraft.

Die auf Grund der bisher gültigen Bauordnung bereits erteilten Bauscheine verlieren die Gültigkeit nach Ablauf von drei Monaten vom Tage der Veröffentlichung dieser Verordnung ab, wenn nicht inzwischen der Bau begonnen ist, und bei Neubauten, wenn nicht inzwischen die Grundmauern gelegt sind.

§ 38. Strafen.

Übertretungen der vorstehenden Bestimmungen werden, soweit nicht sonstige weitergehende Strafbestimmungen, insbesondere des § 330, § 367, Ziff. 12 bis 15, § 368, Ziff. 3 und 4 und § 369, Ziff. 3 des Reichsstrafgesetzbuches vom 15. Mai 1871 Platz greifen, mit einer Geldstrafe bis zu . . . Mark oder im Unvermögensfalle mit verhältnismäßiger Haft geahndet. Daneben *bleibt* die Ortspolizeibehörde befugt, die Herstellung vorschriftsmäßiger Zustände herbeizuführen.

232 Zentralblatt der Bauverwaltung. 31. Mai 1919.

Anlage.

Die folgenden Ausführungen sollen für die wichtigsten Ergänzungen des vorstehenden Bauordnungsentwurfs als Anhalt dienen:

Der § 6

ist noch durch Vorschriften über die Zugänglichkeit der Hintergebäude und Höfe zu ergänzen, wobei davon auszugehen ist, daß alle Höfe und Gebäude ihrem Zwecke entsprechende sichere Zugänge von der Straße erhalten müssen und Hintergebäude mit der Straße in Verbindung zu bringen sind. Abmessungen und Bauart etwa notwendiger Durchfahrten sind so zu bestimmen, daß das Durchbringen der ortsüblichen Feuerlöschgeräte möglich ist.

Für die Fälle, in denen Baufluchtlinien nicht festgesetzt sind, ist das Entfernungsmaß der Gebäude von öffentlichen Wegen, den örtlichen Verhältnissen entsprechend, festzusetzen.

Zu § 7. Bauliche Ausnutzbarkeit der Grundstücke.

Es sind in allen Bauordnungen grundsätzlich Abstufungen der Ausnutzbarkeit der Grundstücke — Bauzonen, Bauklassen, Baustaffeln — vorzusehen. Solche Abstufungen waren bereits in den Erlassen des Ministers der öffentlichen Arbeiten vom 24. April und 20. Dezember 1906[1]) empfohlen, ohne daß indes diese Anordnung bisher durchweg durchgeführt ist. Sie hat nunmehr durch die Ziffer 1 des § 1 des Artikels 4 des Wohnungsgesetzes[2]) eine einwandfreie gesetzliche Grundlage erhalten.

Allgemeines: Geschoßzahl und bebaubare Fläche.

Die Abstufung der baulichen Ausnutzbarkeit der Grundstücke für Wohnzwecke hat einmal nach der Geschoßzahl und sodann nach der bebaubaren Grundstücksfläche zu erfolgen. Die baupolizeilichen Beschränkungen in dieser Hinsicht haben sich als ein wirksames Mittel zur Erreichung einer den neuzeitlichen Anschauungen entsprechenden Wohnungsbeschaffung und Ortsanlage erwiesen. Abgesehen von dem Einflusse der Lage und der besonderen Verwendbarkeit des Grundstücks für bestimmte Zwecke werden die Bodenpreise in erster Linie durch die nach den bestehenden Baunormen zugelassene Ausnutzbarkeit bestimmt. Eine geringere Ausnutzbarkeit wirkt einer Steigerung der Bodenpreise entgegen. Gegenwärtig lassen die meisten Bauordnungen noch eine durch die örtlichen Verhältnisse nicht gerechtfertigte zu große Höhe der Wohngebäude und eine zu weit gehende Bebaubarkeit der Grundstücke hinsichtlich der Fläche auch in solchen Stadtgebieten zu, wo nichts zu einer derartigen Ausnutzung des Grund und Bodens nötigt. Demgegenüber ist mehr als bisher für Abstufung der Bauvorschriften, besonders in schnell wachsenden Gemeinden, aber auch anderwärts, Vorsorge zu treffen. Die örtliche Abstufung der Bauvorschriften wird häufig zweckmäßig auch nach einzelnen Straßen und Plätzen zu erfolgen haben, kann sich gegebenenfalls sogar auf bestimmte Baublöcke beschränken. Daher wird es sich vielfach empfehlen, die endgültige Regelung der Ausnutzbarkeit der Grundstücke durch baupolizeiliche Vorschriften nicht zu frühzeitig, sondern erst zusammen mit der förmlichen Feststellung des Fluchtlinienplanes vorzunehmen. Unter Umständen hat die Festsetzung der Bauklassen noch Zeit bis zum Beginn des Straßenausbaues. Es wird darauf Bedacht zu nehmen sein, daß alles vermieden wird, was eine vorzeitige Steigerung der Bodenpreise für das betreffende Gebiet zur Folge hat.

Baugebiet und Außengebiet.

Das Wohnungsgesetz (Art. 4, § 1, Ziffer 1) schafft die Möglichkeit, eine Vorschrift dahin zu erlassen, daß dort, wo Fluchtlinien nicht festgestellt sind, nur offene Bauweise mit Gebäuden von nicht mehr als einem Obergeschoß über dem Erdgeschoß zugelassen ist. Es werden demgemäß in jeder Bauordnung zwei Gebiete zu unterscheiden sein, ein Baugebiet und ein vom planmäßigen Bauen noch nicht ergriffenes Gebiet, sog. Außengebiet.

Das Außengebiet hat im allgemeinen alle diejenigen Liegenschaften zu umfassen, für welche sich ein Baulandpreis noch nicht gebildet hat; hierzu können auch Gebiete gehören, die in der bisher gültigen Bauordnung bereits einer Bauklasse zugeteilt sind. Die Abgrenzung des Außengebiets muß sich nach den örtlichen Verhältnissen richten. Für eine gesundheitliche Entwicklung der Städte ist es am günstigsten, wenn die Außengebiete möglichst groß festgelegt werden, umsomehr, als nach dem Kriege mit einem weiteren grenzenlosen Wachstum der Städte einstweilen nicht wird gerechnet werden können. Für das Außengebiet ist, wie im Wohnungsgesetz vorgesehen ist, für Wohngebäude offene Bauweise mit nicht mehr als einem Obergeschoß und Erdgeschoß vorzuschreiben. Eine Beschränkung der bebaubaren Fläche wird sich für dieses Gebiet im allgemeinen erübrigen.

[1]) Zentralblatt der Bauverwaltung 1906, S. 243 u. 1907, S. 29.
[2]) Vgl. a. Zentralblatt der Bauverwaltung 1918, S. 114.

Begriffsbestimmung der einzelnen Geschosse der Wohngebäude.

Im folgenden sind unterschieden: Vollgeschoß, Kellergeschoß und Dachgeschoß.

a) Vollgeschosse liegen oberhalb der Erdoberfläche — höchstens bis zu 50 cm unter ihr — und sind von senkrechten Umfassungswänden umschlossen;

b) als Kellergeschoß gilt das Geschoß, das unterhalb des ersten Vollgeschosses (des Erdgeschosses) sich befindet;

c) als Dachgeschoß ist ein Geschoß anzusehen, in welches die Konstruktionsteile des Dachverbandes und der geneigten Dachfläche hineinreichen.

Geschoßzahl.

Für das Baugebiet wird hinsichtlich der Geschoßzahl der Wohngebäude in den meisten Gegenden eine Bauweise mit zwei Vollgeschossen vollkommen ausreichen; allenfalls könnten daneben noch Teile des Dachgeschosses für Räume zum dauernden Aufenthalt von Menschen als Zubehör für die unteren Wohnungen freigegeben werden. Wo zwei Wohngeschosse nicht ausreichend sind, sollte das Wohngebäude mit drei Vollgeschossen durchweg die Regel bilden und auf ihm sich jede städtische Bauordnung aufbauen. Auch die Musterbauordnung geht vom dreigeschossigen Hause aus. Die Bestimmungen über Standfestigkeit und Feuersicherheit der Wohngebäude in ihr rechnen nur mit Gebäuden von höchstens drei Vollgeschossen.

Neben zwei Vollgeschossen etwa den Ausbau des Dachgeschosses als Vollgeschoß mit selbständigen Wohnungen zuzulassen, empfiehlt sich nur dann, wenn durch die Bauordnungsvorschriften Gewähr dafür geboten wird, daß genügend Raum für Abstellkammern und Trockenböden (etwa 10 qm für jede Wohnung) zur Verfügung steht.

Für besondere Gebäudearten, wie Verwaltungs-, Geschäfts-, Fabrikgebäude hinsichtlich der Geschoßzahl oder ihrer Ausnutzungsmöglichkeit Ausnahmen zuzulassen, steht nichts im Wege.

In denjenigen größeren Städten, in denen ein Bedürfnis für viergeschossige Wohnweise besteht, sind solche Bauten auf bestimmte Straßen oder Straßenteile zu beschränken und in der Bauordnung als Ausnahmen zu behandeln, für die besondere — verschärfte — Vorschriften vorzusehen sind, wobei auch die durch Erlaß des Ministers der öffentlichen Arbeiten vom 31. März 1915 — III B 8. 18 C — als Anhalt empfohlenen Anregungen des preußischen Feuerwehrbeirats zu beachten sind.

Eine höhere Bauweise als die viergeschossige ist für neu der Bebauung zu erschließendes Gelände nirgends mehr zuzulassen.

Dort, wo die Bauordnungen gleichzeitig für größere und kleinere Gemeinden gelten sollen, hat eine unterschiedliche Behandlung der Gemeinden hinsichtlich der Geschoßzahl der Wohngebäude stattzufinden, schon um die Widerstände größerer Städte auf Herabsetzung der Geschoßzahl, die unter Hinweis auf das kleineren Städten gewährte Maß der baulichen Ausnutzung zu erfolgen pflegen, herabzumindern.

Durchweg ist darauf zu dringen, daß das Kellergeschoß nirgends mehr zu Räumen zum dauernden Aufenthalt von Menschen in Anspruch genommen wird. Wo ein Bedürfnis zur Anlage von Pförtnerwohnungen im Kellergeschoß besteht, sind für diese besonders scharfe Vorschriften zu geben, die eine unerlaubte, über das für die Pförtnerwohnungen zugelassene Maß hinausgehende Ausnutzung des Kellergeschosses unmöglich machen.

Wo Hintergebäude zugelassen werden (vgl. Bemerkungen zu § 8), ist es nicht erforderlich, daß die Geschoßzahl dieser derjenigen der Vordergebäude entspricht; vielmehr wird es sich vielfach empfehlen, die Geschoßzahl der Hintergebäude gegenüber der Geschoßzahl der Vordergebäude herabzusetzen.

Bebaubare Fläche.

Die Grundstückausnutzung nach der bebaubaren Fläche erfolgt am zweckmäßigsten nach einer Zehntelberechnung. Dabei hat für die Berechnung der bebaubaren Fläche grundsätzlich nur der hinter der Baufluchtlinie liegende Teil des Grundstücks in Betracht zu kommen. Fallen die Baufluchtlinie und die Straßenfluchtlinie nicht zusammen, ist also ein Vorgartengelände vorhanden, kann ein Teil des Vorgartengeländes als unbebaut zur Ermittlung der bebaubaren Fläche herangezogen werden, jedoch ist tunlichst anzustreben, daß ein Streifen von mindestens 8 m Tiefe von der Grundstücksfläche zuvor abgerechnet wird.

Die von der Bebauung frei zu lassende Fläche eines Grundstücks sollte in neu zu erschließendem Gelände grundsätzlich um so höher sein, je höher die Wohnweise ist, die für die betreffende Bauzone eingeführt ist. Für einheitlich entstehende Siedlungen empfiehlt es sich, die wahlfreie Aufschließung des Geländes innerhalb eines Baublocks zuzulassen, d. h. in der Bauordnung die Möglichkeit zu schaffen, die Zahl der Wohngeschosse in Wechselbeziehung zur bebaubaren Fläche zu bringen, damit es dem einen Baublock einheitlich besiedelnden Bauherrn möglich ist, unter Freilassung einer unbebauten Fläche, die größer ist als die Bauordnung für das betreffende Baugebiet vorschreibt, stellenweise eine größere Ausnutzung nach der Geschoßzahl zu erreichen und auf diese Weise eine größere wirtschaftliche Verwertung und abwechslungsreiche architektonische Ausgestaltung zu ermöglichen. Eine derartige Vorschrift enthält z. B. die neue Berliner Vorortbauordnung des Regierungspräsidenten in Potsdam vom 10. Mai 1918 im § 56a, Ziffer 5b, von der ein Abdruck sich am Schluß (S. 236) befindet. Auch die weitere dort enthaltene Vorschrift über Übertragbarkeit der bebaubaren Fläche bei einheitlichen Siedlungen ist beachtenswert.

In neu zu erschließendem Gelände sollte für die geschlossene dreigeschossige Bauweise nirgends mehr als 50 vH bebaubar, bei zweigeschossiger Bauweise nicht mehr als 60 vH bebaubar zugelassen werden. Ob bei Eckgrundstücken 10 vH mehr an Bebauung gewährt werden kann, bedarf in jedem Falle der sorgfältigen Nachprüfung nach Maßgabe des örtlichen Bedürfnisses. Im allgemeinen wird von einer Bevorzugung der Eckgrundstücke abzusehen sein. Für Wohngrundstücke, die in der Außenstadt und in Vororten gelegen sind, wird im allgemeinen eine bebaubare Fläche von nur 30 vH ausreichend sein. Für kleinere Städte mit im wesentlichen nur zweigeschossiger Bauweise werden unbedenklich 40 bis 50 vH an bebaubarer Fläche zugelassen werden können.

Bei der Berechnung der Bebauungsfläche sind Nebenhöfe und Lichthöfe als bebaute Fläche mitzurechnen, dagegen Mauervorsprünge und Pfeilervorlagen von weniger als 50 cm Ausladung und weniger Breite als $^{1}/_{10}$ der freien Wandfläche, ferner Freitreppen, Kellerhälse, Schutzdächer, frei stehende Mauern und ähnliche Anlagen außer Betracht zu lassen; auch steht nichts im Wege, daß je nach den örtlichen Verhältnissen für kleine einstöckige Nebenbauten, wie Gartenhäuser, Vorhallen, Veranden, Galerien, Lauben, Umgänge, Aborte, Ställe, Schuppen, Gewächshäuser, Kegelbahnen u. dgl. Ausnahmen vorgesehen werden.

Zu § 8. Gebäudeabstand.

Das Baugebiet ist einzuteilen in Gebiete der geschlossenen und der offenen Bauweise. Es sind daher überall Vorschriften darüber aufzunehmen, ob und inwieweit im Baugebiet die geschlossene Bauweise zugelassen oder die offene Bauweise vorgeschrieben ist. Als Unterart der offenen Bauweise ist die halboffene (Gruppenhausbau) zu regeln, während die Regelung des Reihenhausbaues sowohl als Abart der offenen Bauweise und im Anschluß an diese, als auch durch Verbot der Hintergebäude, Einschränkung der Seiten- und Mittelflügel, Beschränkung der Vorderhaustiefe, Festsetzung hinterer Baulinien — sog. Randbebauung — im Anschluß an die geschlossene Bauweise denkbar ist.

Abstand der Gebäude an der Straße. Bauwich.

Der bei der offenen Bauweise einzuhaltende seitliche Mindestabstand ist als Bauwich zu bezeichnen. Das Bauen in offener Bauweise ist in Gebieten der geschlossenen Bauweise zu erschweren. Daher ist vorzuschreiben, daß in den Gebieten der geschlossenen Bauweise die Gebäude an der Straße entweder in unmittelbarem Anschluß an die Nachbargebäude errichtet werden oder von den seitlichen Nachbargrenzen einen Abstand von mindestens 5 m einhalten müssen. Falls auf dem Nachbargrundstück bereits eine Brandmauer auf der Grenze vorhanden ist, ist zu fordern, daß der Neubau unmittelbar auf der Nachbargrenze zu errichten ist. Anderseits erscheint es zweckdienlich, eine Vorschrift auch darüber aufzunehmen, daß die Ortspolizeibehörden den vorgenannten Abstand dann verlangen dürfen, wenn der Nachbarbau einen Abstand von dieser Nachbargrenze gehalten hat, damit das Freistehen einer Brandmauer beim beabsichtigten Neubau, wenn es in ästhetischer Hinsicht zu Bedenken Anlaß gibt, insbesondere die einheitliche Gestaltung des Straßenbildes stört, verhindert werden kann.

In den Gebieten der offenen Bauweise und im Außengebiet ist durchweg die Errichtung von Wohnhäusern mit frei stehenden Brandgiebeln zu verbieten (vgl. Artikel 4, § 8 des Wohnungsgesetzes).

Im übrigen sind die Abstände der Gebäude an den Straßen in den Gebieten der offenen und halboffenen Bauweisen nach den örtlichen Verhältnissen und Baugewohnheiten festzusetzen.

Abstand der Gebäude auf demselben Grundstück.

Für die Regelung der Abstände der Gebäude auf demselben Grundstück ist folgendes zu beachten: Zwischen allen nicht unmittelbar aneinanderstehenden Gebäuden desselben Grundstücks wird in der Regel ein freier Raum von mindestens 5 m Breite vorzuschreiben sein. Wenn die gegenüberliegenden Wände massiv aufgeführt werden und keine Fenster haben (wobei als gegenüberliegende solche Wände und Gebäudeteile anzusehen sind, deren Richtungswinkel 75° nicht überschreiten), so genügt ein Abstand von 2,50 bis 2 m.

Für Gebäude mit feuergefährlichen Betrieben oder Lagern muß ein größerer Abstand als 5 m vorgesehen werden, der sich nach den örtlichen Verhältnissen, insbesondere dem Umfange des Betriebes oder der Lagerung und seiner Gefährlichkeit richten muß.

Für die Baugrundstücke sind Höfe von bestimmter Mindestgröße, die sich nach der Gebäudehöhe und Zahl der Wohngeschosse zu richten hat, vorzusehen. Es ist darauf Bedacht zu nehmen, daß die Bebauung des Hinterlandes die Freilassung größerer zusammenhängender Flächen im Innern der Baublöcke gewährleistet. Von dem Verbot der Errichtung von Hintergebäuden ist tunlichst weitgehend Gebrauch zu machen. Hinterwohngebäude sollten im neu aufzuschließenden Gelände des Gebietes der geschlossenen Bauweise überhaupt nicht mehr zugelassen werden.

Wohnhausbauten von mehr als zwei Vollgeschossen müssen von der hinteren Grundstücksgrenze mindestens 5 m entfernt bleiben. Die Errichtung von Seitenflügeln mit selbständigen Wohnungen ist tunlichst zu verbieten. Wo Seitenflügel zugelassen werden, ist darauf zu halten, daß die Ausnutzung des Nachbargrundstückes in einer Form sichergestellt ist, daß die Brandmauern auf der Grenze durch etwa gleich hohe und lange Anbauten verdeckt werden.

Falls in bereits bebauten Stadtgebieten auf eine Bebauung mit Mittelflügeln und Quergebäuden nicht verzichtet werden kann, ist hiergegen dann nichts einzuwenden, wenn die Grundstückstiefe hinreichend groß ist und eine Hofgemeinschaft eingeführt wird; jedoch ist eine Bebauung derart, daß durch Seitenflügel und Quergebäude ringsumschlossene enge Höfe entstehen, zu verbieten.

Industrieviertel.

Neben der Abgrenzung der Wohngebiete nach Bauklassen darf eine moderne Bauordnung auf eine Einwirkung bei der Ansiedlung von Industrieanlagen nicht verzichten.

Die Ziffer 3 des § 1 des Artikels 4 des Wohnungsgesetzes sieht hier die Bestimmung vor, daß besondere Ortsteile, Straßen und Plätze durch die Bauordnungen ausgeschieden werden können, in denen nur die Errichtung von Wohngebäuden mit Nebenanlagen, oder solche, in denen nur die Errichtung von gewerblichen Anlagen mit Nebengebäuden zugelassen zu werden brauchen. Eine solche Trennung ist in der Praxis schon vielfach vorhanden, und es liegt für eine solche Vorschrift zweifellos ein Bedürfnis vor. Daß der Erlaß einer solchen Vorschrift nicht dazu führen darf, für ganze Wohnviertel gewisse Handwerksbetriebe völlig auszuschließen, bedarf keiner Hervorhebung. Anderseits wenn die Betriebe in Industrievierteln liegen, kann ihnen eine solche Vorschrift auch zugute kommen. Sie schützt die Unternehmer gegen private Klagen und nachbarliche Schikanen wegen störenden Lärms, Rauchbelästigung und übler Gerüche.

Will eine Gemeinde nicht eine so einschneidende Bestimmung treffen, so ist auch z. B. eine Vorschrift zulässig, die vorsieht, daß wahlweise, entweder Industriebauten bis zu vier oder fünf Geschossen, bei $^{4}/_{10}$ bebaubarer Fläche, oder Wohngebäude, diese aber nur mit zwei Geschossen bei $^{8}/_{10}$ bebaubarer Fläche errichtet werden dürfen. Diese Maßnahme dürfte sich in vielen Fällen auch bereits als geeignetes Mittel zur Ansiedlung von Industrie an den dafür von den Gemeinden ausersehenen Stellen erweisen. Auch empfiehlt es sich, dem Fabrikbau insofern eine gewisse Freiheit einzuräumen, daß für ihn nicht eine Höchstzahl der Geschosse und bebaubaren Fläche wie bei den Wohngebäuden vorgeschrieben, sondern daß für die Ermittlung der zulässigen Bebauung ein kubisches Maß zugelassen wird (etwa 9 cbm Baumasse für jedes Quadratmeter der Grundstückfläche).

Eine Beeinflussung des Siedlungscharakters der verschiedenen Ortsviertel kann weiter durch die Aufnahme einer Vorschrift in die Bauordnung, wie sie Ziffer 2 des § 1 des Art. 4 des Wohnungsgesetzes enthält, erreicht werden. Die Anordnung, daß für gewisse Ortsteile, Straßen und Plätze die Errichtung von Anlagen aller Art nicht zugelassen ist, die beim Betriebe durch Verbreitung übler Dünste, durch starken Rauch oder ungewöhnliches Geräusch Gefahren, Nachteile oder Belästigung für die Nachbarschaft oder das Publikum überhaupt herbeizuführen geeignet sind, hat sich vielfach als wünschenswert im Interesse eines den Anforderungen der öffentlichen Gesundheitspflege Rechnung tragenden Ausbaues der Städte erwiesen. Nach der bisherigen Rechtslage (vgl. Entsch. O. V. G. Bd. 41, S. 322, Bd. 43, S. 376, Pr. Verw. Bl. 25, S. 131) waren Polizeiverordnungen der bezeichneten Art unzulässig, soweit sie über die Abwendung von Gefahren hinaus einen Schutz gegen Nachteile oder Belästigungen bezwecken und dabei nicht von der Rücksicht auf die Leichtigkeit des Verkehrs auf öffentlichen Wegen, Straßen, Plätzen usw. geleitet sind. Nunmehr genügt zur Ausschließung solcher Anlagen aus gewissen Ortsteilen die Rücksicht auf die Abwendung von Belästigungen und Nachteilen für die Nachbarn und das Publikum überhaupt.

Formelle Vorschriften.

Die durch die Abstufung der Bebaubarkeit entstehenden Bauzonen (Bauklassen-, Baustaffelgebiete) sind nicht im Texte der Bauordnung, sondern in einer Anlage zu ihr, die integrierender Teil der Bauordnung werden muß und nur im Wege der Polizeiverordnung abgeändert werden darf, mit ihren Grenzbezeichnungen aufzunehmen. Die Bauklassengrenzen bilden am zweckmäßigsten die Straßenmitten; doch soll damit nicht ausgeschlossen werden, daß z. B. für gewisse Straßen, insbesondere Verkehrsstraßen, beiderseitig eine einheitliche und intensivere Bauweise als für die anderen Seiten der sie begrenzenden Baublöcke vorgeschrieben wird. In gleicher Weise sind die Grenzen zwischen dem Baugebiet und Außengebiet im Anhange zur Bauordnung festzulegen. Wird die Bauordnung als Regierungspolizeiverordnung erlassen, steht nichts im Wege, die Zuweisung der einzelnen Gemeindegebiete zu den einzelnen Bauklassen durch Ortspolizeiverordnungen bewerkstelligen zu lassen, wobei jedoch die Zustimmung des Regierungspräsidenten zu der Bauklassenbestimmung oder etwaigen späteren Bauklassenänderungen vorzubehalten bleibt.

Zweckmäßig ist ferner, jeder Bauordnung einen zeichnerisch dargestellten Bauklassenplan beizufügen.

Bei Aufnahme der sämtlichen vorstehend erörterten Vorschriften in die Regierungs- oder Ortspolizeiverordnungen würde der Inhalt der §§ 7 und 8 so umfangreich werden, daß er an Übersichtlichkeit verlieren würde. Es sind daher für einen Teil der Vorschriften neue Paragraphenbezeichnungen zu wählen, die jedoch nicht nach fortlaufenden Ziffern, sondern, weil sonst die Einheitlichkeit der Paragraphenbezeichnungen der folgenden Vorschriften gestört werden würde, als § 7a, 7b usw., § 8a, 8b usw. zu bezeichnen sind.

Wenn auch die Vorschriften über die Ausnutzung des Baugeländes in möglichst weitgehendem Maße örtlich verschieden geregelt werden sollen, so soll doch damit keineswegs nun etwa eine örtliche Regelung der gesamten Vorschriften der §§ 7 und 8 angestrebt werden, vielmehr werden wohl fast in allen Regierungsbezirken die Verhältnisse — abgesehen vielleicht von den größeren Stadtkreisen — soweit gleichmäßig sein, daß Vorschriften allgemeiner Art auch über die Ausnutzung des Baugeländes in der Regierungspolizeiverordnung gegeben werden können, ja, daß selbst ein einheitliches Bauklassensystem für die Städte usw. eines Regierungsbezirks aufgestellt werden kann.

Zu § 9. Gebäudehöhe.

An der bisher ziemlich allgemein üblichen Vorschrift, daß die Gebäudehöhe an der Straße die Straßenbreite nicht überschreiten darf, ist nicht mehr festzuhalten. Wo die Gebäudehöhe in Beziehung zur Straßenbreite gesetzt wird, wird unter Straßenbreite im allgemeinen die tatsächliche mittlere Breite des Straßendammes einschließlich des Bürgersteiges vor dem Gebäude zu verstehen sein. Sind Baufluchtlinien vorhanden, soll der Abstand dieser, andernfalls der Hausfronten, maßgebend sein. Bei wechselnder Straßenbreite darf ein einheitliches mittleres Höhenmaß für das ganze Gebäude gewählt werden. Ebenso darf bei Eckgebäuden an verschieden breiten Straßen ein mittleres Höhenmaß für das ganze Gebäude gewählt werden. Vielfach wird es sich auch empfehlen, vorzuschreiben, daß die an der breiteren Straße gestattete Höhe auch an der schmäleren Straße bis auf 15 m von der Ecke oder bis auf die ortsübliche Vorderhaustiefe zugelassen wird. Für schmale Straßen alter Stadtteile werden besondere Vorschriften vorzusehen sein.

Anzustreben ist, daß der Wechsel in der Gebäudehöhe innerhalb der Straßenansicht eines Grundstücks liegt. Auch bei einem Wechsel der Bauklassen empfiehlt sich, daß die Vermittlung der verschiedenen Höhen innerhalb eines Grundstücks stattfindet.

Die Höhe der Hintergebäude soll weder das an der Straße zulässige Höhenmaß der zugehörigen Vordergebäude, noch die Breite des senkrechten Abstandes von der gegenüberliegenden Hausfront überschreiten. Ausnahmen, insbesondere für solche Hintergebäude, die überwiegend gewerblichen, landwirtschaftlichen oder öffentlichen Zwecken dienen, können in Bauordnungen vorgesehen werden. Es sind dann aber Bestimmungen für eine ausreichende Licht- und Luftzufuhr zu treffen.

Für Fabriken, Lagerhäuser, Schornsteine und andere Nutzbauten können bezüglich der Höhe freiere Bestimmungen gegeben werden; doch ist Rücksichtnahme auf die Umgebung und auf den Schutz des Straßen- und Ortsbildes gegen Verunstaltung geboten.

Für öffentliche Bauten und ihnen gleichzuachtende private Monumentalgebäude, Türme und Denkmäler sind Ausnahmen vorzusehen, damit bei ihnen vorwiegend künstlerische Gesichtspunkte bezüglich der Höhenbestimmung Geltung erlangen können.

Zu § 13.

Es kann davon abgesehen werden, für aufgehende Wände, insbesondere auch für Umfassungswände, ausschließlich massive Bauart zu verlangen. Vielmehr ist der Einführung neuerer Bauweisen, wenn sie den öffentlichen Interessen des Feuerschutzes, der Standsicherheit und der Gesundheitspflege gerecht werden, kein Widerstand entgegenzusetzen. Insbesondere in Gegenden, in denen mehrgeschossiger Fachwerkbau bodenständig ist, ist dieser für Einfamilienhäuser, Kleinhäuser und Mittelhäuser — wenn nötig mit der ortsüblichen Bekleidung als Wetterschutz —, ebenso die Verwendung von Leichtsteinen mit Außenputz und Verkleidung, sowie jede andere behördlich anerkannte Bauweise zuzulassen, wenn sie den örtlichen Verhältnissen entspricht. Für Umfassungswände der Kleinhäuser ist Fachwerk nur mit teilweiser Wetterschutzbekleidung zulässig, nicht dagegen die Anwendung von nur vorgeblendetem Fachwerk mit Hintermauerung. Ferner sind Lehmstampfbau, Ausführung in Lehmpatzen und sogenannten Grünlingen, Holzbohlwerk und andere Bauweisen[1]) gestattet.

Auch da, wo massive Bauart vorgeschrieben ist, empfiehlt es sich, zuzulassen, daß Holzwerk zur Verzierung und architektonischen Gliederung im Äußeren verwendet wird, ohne daß dadurch die Wände den Charakter der Feuersicherheit einbüßen.

Nebenbaulichkeiten ohne Feuerstätten dürfen auch in Brettwerk hergestellt werden, jedoch müssen Ausbauten in dieser Ausführung feuersichere Bedachung erhalten.

Für Scheidewände, die verschiedene Wohnungen desselben Geschosses voneinander trennen, ist vorzuschreiben, daß sie mindestens 1 Stein stark und in der Regel feuersicher hergestellt sein müssen; jedoch sind auch Wände aus doppelten Gips- oder Zementdielen, doppelten Schlackenbetonplatten oder dgl. mit ausgefülltem Zwischenraum (Koksasche, Torfmull) in gleicher Stärke zulässig. Balkentragende Zwischenwände dürfen in Einfamilienhäusern, Kleinhäusern und Mittelhäusern auch von ausgemauertem, geputztem Fachwerk oder als einen halben Stein starke Ziegelwand hergestellt werden, wenn für Verteilung des Balkendruckes durch gemeinsame Unterlage gesorgt ist. Für die Mauerstärken kann unter Berücksichtigung der klimatischen Verhältnisse und der Beschaffenheit der örtlich zur Verfügung stehenden Baustoffe für Mittelhäuser die folgende Liste als Anhalt dienen:

	1	2	3	4	5	6	7
Geschoß	Belastete Außenmauern mit Öffnungen	Belastete Treppenhaus- oder Mittelhausmauern	Nichtgemeinschaftliche Brand- oder Giebelmauern ohne Öffnung und Belastung: bei Vorhandensein gleichstarker Mauern auf dem Nachbargrundstück	Nichtgemeinschaftliche Brand- oder Giebelmauern ohne Öffnung und Belastung: bei Fehlen gleichstarker Mauern auf dem Nachbargrundstück	Gemeinschaftliche Giebel- oder Brandmauern mit Belastung	Gemeinschaftliche Giebel- oder Brandmauern ohne Belastung	Unbelastete Treppenhausmauern
Kellergeschoß	2	1½	1½	1½	1½	1½	1 Stein Stärke
Erdgeschoß	1½	1	1½	1½	1½	1	1 „ „
1. Obergeschoß	1½	1	1	1½	1	1	1 „ „
2. Obergeschoß	1½	½	1	1	1	1½[2])	½ „ „
Dachgeschoß	1	½	½[1])	1	1	½	½ „ „

[1]) Bei gleichzeitig ausgeführten Gruppenbauten. — [2]) Bei Gruppenbauten.

Bei Anwendung von Luftschichten in den Außenwänden ist eine Vergrößerung der Mauerstärke um das Maß dieser Schichten vorzusehen.

Brettverkleidung als Wetterschutz oder zur Verzierung gilt nicht als Veränderung der massiven Bauart, ebensowenig der Dachüberstand der Sparren nebst Stirnbrett und die Anbringung kleiner hölzerner Vorbauten. Für Außenwände von Dachausbauten darf massive Ausführung nicht gefordert werden.

Als Mauerstärke der Außenwände massiver Kleinhäuser genügen 30 cm bei Anwendung von Außenputz und Hohlschichten oder 38 cm oder 1½ Stein ohne Außenputz und Hohlschichten. Es können auch 1 Stein starke Außenwände gestattet werden, wenn gute Ziegel- oder Schwemmsteine verwendet werden und wenn in mildem Klima oder geschützter Lage zu erwarten ist, daß die Ersparnis bei den Baukosten nicht durch Wärmeverlust im Winter aufgewogen wird.

Bei Fachwerk- und Holzbauten ist die Schwelle des Fußbodens der Erdgeschoßräume mindestens 25 cm über das Außengelände zu verlegen.

[1]) Die hauptsächlichsten Bauweisen und deren Anwendungsmöglichkeiten sind in der Druckschrift Nr. 2 des Reichs- und preußischen Staatskommissars für das Wohnungswesen „Ersatzbauweisen" Berlin 1919, Verlag von Wilhelm Ernst u. Sohn, bekanntgegeben.

Scheidewände, die verschiedene Wohnungen desselben Geschosses voneinander trennen, können in Gebäuden mit Kleinwohnungen in geringerer Stärke bis ½ Stein stark zugelassen werden; auch Wände aus doppelten Gips- oder Zementdielen, doppelten Schlackenbetonplatten oder dgl. sind zulässig.

Zu § 16.

Es sind Vorschriften über die Ausführungsart der Dachaufbauten aufzunehmen. Für senkrechte Dachaufbauten (Giebel, Dachluken, Erker, Fenster, Türen) können Einschränkungen bezüglich ihrer Größe und ihres Abstandes von der Nachbargrenze festgesetzt werden.

Zu § 21.

Es ist vorzuschreiben, daß für jedes Grundstück, das zu Wohn- und Arbeitszwecken bebaut werden soll, gesundheitlich einwandfreies Trinkwasser und die zu Feuerlöschzwecken ausreichende Menge an Wasser in einer den örtlichen Verhältnissen entsprechenden Weise sichergestellt sein muß.

Kessel- oder Schachtbrunnen sollten von Abortgruben, Dungstätten, Stallungen, Jauchen-, Senk- und Sammelgruben u. dgl. einen Abstand von mindestens 10 m haben. Wird von dem Bauherrn nachgewiesen, daß der Untergrund hinreichend undurchlässig ist, kann eine Ermäßigung der Entfernung durch die Ortspolizeibehörde im Einzelfalle bis 5 m vorgesehen werden. Wird ein Kesselbrunnen mit Pumpe versehen, so muß er wasserdicht abgedeckt und umpflastert werden. Das Pflaster muß so weit über dem Erdboden liegen, daß reichliches Gefälle zur Ableitung des Auslaufwassers vorhanden ist.

In Gegenden, wo noch offene Zieh- oder Schöpfbrunnen üblich sind, muß der Brunnenkessel mit mindestens 1 m hoher Einfassung versehen und mit starkem Gefälle umpflastert sein.

Eiserne Röhrenbrunnen sollten mindestens 10 m Abstand von Gruben u. dgl. halten, sofern die Wasserentnahmeschicht in weniger als 4 m Tiefe liegt. Das Maß von 10 m kann bis auf 5 m ermäßigt werden, wenn das Brunnenrohr durch undurchlässige Bodenschichten bis 10 m Tiefe geführt werden mußte, um die wasserführende Schicht zu erreichen. Bei größerer Brunnentiefe kann das Abstandmaß noch weniger als 5 m betragen.

Es muß angestrebt werden, daß die Wasserversorgung von Grundstücken, die mit Wohnhäusern von mehr als zwei Vollgeschossen bebaut werden, im allgemeinen nur durch Druckwasserleitung geschieht. Die Genehmigung zum Bau derartiger Wohngebäude wird tunlichst von der Bedingung abhängig zu machen sein, daß der Anschluß an eine Druckwasserleitung gesichert ist. Im übrigen ist noch in den Regierungs- oder Ortspolizeiverordnungen festzusetzen, wann die Wasserversorgung eines Grundstückes als ausreichend nach den örtlichen Verhältnissen anzusehen ist. Für jede Wohnung sollte aber mindestens eine brauchbare Wasserzapfstelle vorhanden sein.

Für die Versorgung der Kleinhäuser mit gesundheitlich einwandfreiem Trinkwasser und mit Wasser zu Feuerlöschzwecken genügt da, wo nicht der Anschluß an eine öffentliche gemeinsame Wasserleitung möglich ist, das Recht der Benutzung eines öffentlichen Brunnens oder der Mitbenutzung eines Privatbrunnens; Voraussetzung hierbei ist, daß die Brunnen in einer nach dem Ermessen der Ortspolizeibehörde ausreichenden Nähe des Kleinhauses liegen.

Zu § 22.

Jedes bebaute Grundstück muß mit Einrichtungen zur ordnungsmäßigen Entwässerung, soweit diese sich nicht oberirdisch in natürlichem Gefälle vollzieht, versehen werden. Gesundheitschädliche Flüssigkeiten sind so abzuleiten oder so zu sammeln, daß keine Schädigung oder Belästigung der Menschen eintritt.

Für eine Benutzung der Straßenrinnen und des öffentlichen Kanalnetzes sind jeweilig örtliche Bestimmungen zu geben.

Für jede selbständige Wohnung und für jede selbständige Betriebs- oder Arbeitsstätte ist eine Abortanlage zu fordern.

Die Einrichtung, Belichtung und Lüftung der Abortanlagen sind in den einzelnen Bauordnungen nach den örtlichen Verhältnissen und Bedürfnissen festzusetzen.

Aborte innerhalb von Wohnungen sollten im allgemeinen nur da zugelassen werden, wo der Anschluß an eine Schwemmkanalisation gesichert ist. Außerhalb der Wohnungen, aber innerhalb von Wohnhäusern können sie zugelassen werden bei nicht mehr als zwei Vollgeschossen, wenn sie von gut gelüfteten Vorräumen zugänglich sind und die Abfallstoffe in undurchlässigen, dichtschließenden Behältern (Tonnen, Gruben) angesammelt und regelmäßig geräumt werden. Im einzelnen sollten folgende Vorschriften dort, wo keine Schwemmkanalisation besteht, durchweg in den Bauordnungen Aufnahme finden: Innerhalb der Umfassungswände liegende Tonnenräume oder Gruben müssen mit undurchlässigen Decken und Wänden und wasserdichten Fußböden versehen und durch Dunstrohre bis über die obersten Wohnraumfenster entlüftet sein. Tonnenräume müssen von außen unmittelbar zugänglich sein. Abortgruben unter Wohnhäusern müssen mindestens 1 m vor die Umfassungmauer reichen und dort mit Entleerungs- und Reinigungsöffnung versehen sein; sie sind mindestens 0,50 m über dem Grundwasserstande anzulegen. Außerhalb gelegene Abortgruben sind wasserdicht herzustellen, dichtschließend zu überdecken und bei weniger als 10 m Abstand von Wohnräumen mit Entlüftungsvorrichtungen zu versehen.

Ist ein öffentliches Kanalnetz mit Wasserspülung vorhanden, so darf außerhalb des Gebiets der geschlossenen Bebauung vom Anschluß abgesehen werden, wenn

a) die Aborte an eine den baupolizeilichen Vorschriften entsprechende Grube, Tonnen- oder Kasteneinrichtung ohne Wasserspülung angeschlossen sind und die landwirtschaftliche Verwendung der Auswurfstoffe in benachbarter, hierfür genügender Landfläche Bedürfnis ist;

b) wenn das Haus mit einer zur Garten- oder landwirtschaftlichen Nutzung geeigneten Fläche dauernd ausgestattet ist,

In Kleinhäusern dürfen, da bei ihnen mit dem Hausgrundstück eine Garten- und Ackerfläche verbunden sein muß, die für die landwirtschaftliche Verwertung der Abfallstoffe im allgemeinen ausreichen wird, auch einfachere Einrichtungen nach dem Tonnen- und Kastensystem zugelassen werden. Die Entscheidung hierüber wird zweckmäßig der Ortspolizeibehörde überlassen.

Die Anlage von Sickergruben, die dazu bestimmt sind, Abwasser dem Untergrunde, wenn er hierzu geeignet ist, zu ständiger Aufnahme zuzuführen, darf von der Ortspolizeibehörde nur nach eingehender Prüfung im Einzelfalle ausnahmsweise zugelassen werden.

Zur Aufnahme von Stallabgängen kann die Ortspolizeibehörde die Anlage von Dünger- und Jauchegruben fordern. Düngerstätten müssen einen undurchlässigen Boden erhalten und mit erhöhter Randeinfassung versehen werden. Jauchegruben sind wasserdicht herzustellen und abzudecken.

Die Einrichtung von Asch- und Müllbehältern ist in den einzelnen Bauordnungen nach den örtlichen Verhältnissen und Bedürfnissen festzusetzen.

Zu § 24.

Die Regelung dieser Materie im einzelnen muß den Regierungs- und Ortspolizeiverordnungen überlassen bleiben. Es können von hier aus nicht bestimmte Vorschriften gegeben werden, auf welche Weise die Pflege der heimatlichen Bauweise und der Schutz der Bau- und Naturdenkmäler gehandhabt werden soll, da es sich um Verhältnisse handelt, die fast in jedem Ort, zum mindesten in den einzelnen Landesteilen verschieden beschaffen sind. Die gesetzlichen Grundlagen für diese Vorschriften sind das Verunstaltungsgesetz vom 15. Juli 1907[1]) und die Artikel 4, § 1, Ziffer 4 und Artikel 9, § 2 des Wohnungsgesetzes vom 28. März 1918.[2])

Der Begriff „bauliche Anlage" ist im weitesten Sinne des § 1 des Bauordnungsentwurfes zu verstehen. Es gehören hierzu also z. B. auch Denkmäler, Mauern, Tore, freistehende Reklametafeln jeder Größe usw.

Unberührt bleiben die weitergehenden Vorschriften der auf Grund der §§ 2 bis 4 des Verunstaltungsgesetzes erlassenen Ortsstatute.

Zu § 25.

Dieser Paragraph enthält nur einige allgemeine Bestimmungen grundlegender Art. Einzelvorschriften bleiben der Regelung durch Regierungs- und Ortspolizeiverordnung überlassen.

In den Vorschriften über Höhe, Baustoffe und Bauart der Einfriedigungen erscheint weitgehendes Entgegenkommen angebracht. Insbesondere wird in Kleinhaus- und Mittelhauskolonien möglichst freier Spielraum für die Verwendung von lebenden Hecken und für die Anlage von Grünstreifen vor den Häusern zu lassen sein.

Zu § 27.

Werden in einer Bauordnung selbständige Wohnungen oder gewerbliche Räume im Dachgeschoß zugelassen, so sind gleichzeitig Bestimmungen über die Festigkeit und Feuersicherheit des Dacheinbaues, über die Bauart und Zugänglichkeit der Treppen zu den Dachräumen und über die Art der Anordnung der Fenster zu treffen.

Die Errichtung von Räumen zum dauernden Aufenthalt von Menschen im Kellergeschoß ist, worauf schon oben hingewiesen ist, überall zu untersagen. Nur die Unterbringung von Waschküchen ist zulässig. Sollten die örtlichen Verhältnisse die Benutzung einzelner Räume des Kellergeschosses ausnahmsweise für Wohnzwecke notwendig machen, so dürfen solche Räume für Wohnzwecke nur gestattet werden, wenn sie nicht ausschließlich auf die Lichtzuführung von Norden angewiesen sind und der Einfall von Sonnenlicht unter einem

[1]) Zentralblatt der Bauverwaltung 1907, S. 478.

[2]) Vgl. a. Zentralblatt der Bauverwaltung 1918, S. 114

Winkel von wenigstens 45° möglich ist. Werden Waschküchen im Kellergeschoß untergebracht, müssen sie eine ausreichende Beleuchtung durch Tageslicht erhalten.

Zu § 33.

Es sind Vorschriften darüber zu geben, ob und inwieweit die Errichtung und Benutzung von Baugerüsten und Bauzäunen einer ortspolizeilichen Genehmigung bedürfen, und ferner im einzelnen Vorschriften über die Anbringung von Gerüsten, Schutzdächern und Baurüstungen, die Abdeckung von Balken- und Trägerlagen, die Herstellung von Brustwehren, die Einfriedigung von Öffnungen, die Ausrüstung von Betondecken, Gewölben usw., die Aufstellung von Bauzäunen, sowie die Lagerung von Baumaterialien aufzunehmen. Bestehen bereits Gerüstordnungen oder Straßenpolizeiverordnungen, in denen derartige Bestimmungen vorhanden sind, ist auf diese an dieser Stelle zu verweisen.

Zum Nachweis der Standsicherheit der Baurüstungen kann die Beibringung von Festigkeitsberechnungen verlangt werden. Auch kann die Beleuchtung der Bauzäune und Baugerüste nach Bedarf gefordert werden.

Bei Ausführung von Bauten in der Nähe vorhandener Gebäude sind Vorschriften wegen der zur Sicherung der letzteren notwendigen Vorkehrungen (Ausführung der Grundmauern in kurzen Strecken, Absteifen oder Unterfahren der Mauern anstoßender Gebäude u. dgl.) vorzusehen.

Ferner empfiehlt es sich, hier die Vorschriften der Polizeiverordnungen über die Arbeiterfürsorge auf Bauten, die auf Grund der vom Minister der öffentlichen Arbeiten vom 4. Juli 1913*) herausgegebenen Grundsätze erlassen sind, aufzunehmen, jedenfalls aber an dieser Stelle auf ihr Vorhandensein, sowie auf die für den Schutz der Bauarbeiter gegen Unfälle erlassenen Unfallverhütungsvorschriften der örtlich zuständigen Bauberufsgenossenschaften hinzuweisen.

Zu § 7, Seite 233 (Abdruck).

5a. Auf Grund eines für einen Baublock einheitlichen Aufteilungs- und Bebauungsplanes kann der Regierungspräsident eine Bebauung von mehr als $^{3}/_{10}$ der Baugrundstücke zulassen, wenn im ganzen keine größere Fläche des Baublocks bebaut wird, als die Summe von $^{3}/_{10}$ der Baugrundstücke ergibt.

5b. Auf Grund eines für einen Baublock einheitlichen Aufteilungs- und Bebauungsplanes kann der Regierungspräsident eine dreigeschossige Bauweise zulassen, wenn nur $^{2}/_{10}$ der Baugrundstücke bebaut werden. Auch in diesem Falle kann eine Mehrbebauung der Grundstücke gestattet werden, wenn im ganzen keine größere Fläche des Baublocks bebaut wird, als die Summe von $^{2}/_{10}$ der Baugrundstücke ergibt.

5c. In den Fällen der Ziffer 5a und 5b ist die rechtliche Sicherung der genehmigten Art der Bebauung in der vom Regierungspräsidenten geforderten Form nachzuweisen.

*) Zentralblatt der Bauverwaltung 1913, S. 417.

Nichtamtlicher Teil.

Bücherschau.

Das Zeppelindorf. Pläne und Kostenberechnungen. Herausgegeben von der Zeppelin-Wohlfahrt G. m. b. H., Friedrichshafen a. B., 1917. Dem Württ. Landesverein für Kriegerheimstätten e. V. in Stuttgart zugeeignet. In Folio. 4 S. Einleitung, 6 S. Ausführungsbedingungen und Beschreibung zu den Kostenberechnungen der Arbeiterhäuser, 4 Hefte Kostenberechnungen je 24 S., 7 Doppeltafeln Pläne und Einzelheiten und 9 Lichtdrucktafeln. In Mappe.

Die dem Württembergischen Landesverein für Kriegerheimstätten in Stuttgart zugeeignete Veröffentlichung zeigt die Anlage des Zeppelindorfes bei Friedrichshafen in geradezu vorbildlicher Darstellung. Abgesehen von Beschreibung, Lageplan und Bauzeichnungen werden auch die genauen Kostenberechnungen der vier zur Anwendung gekommenen Hausarten, die Ausführungsbedingungen und Einzelzeichnungen der Türen und Fenster beigebracht, so daß das Werk unmittelbar als Vorlage für ähnliche Unternehmungen dienen und denen eine brauchbare Hilfe gewähren kann, die sich mit dem Bau von Kleinsiedlungen befassen wollen. Der Bebauungsplan zeigt ansprechende Gruppierung und zweckmäßige Aufteilung des etwa 10 ha großen Geländes in eine größere Anzahl von Arbeiterstellen, die aus Einheitsplänen von durchschnittlich 830 qm bestehen. Es sind vier verschiedene Hausarten nach Plänen der Architekten Prof. P. Bonatz und F. E. Scholer in Stuttgart angewendet. An den Grundrissen, die im übrigen sehr wohl durchdacht sind, möchte ich nur beanstanden, daß die kleinen Ställe überall in die Baumasse so eingefügt sind, daß eine nachträgliche Vergrößerung durch Anbau nicht möglich ist. Bei Landzulagen bis zu 1200 qm Fläche wird aber solche spätere Vergrößerung nicht zu vermeiden sein. Der Aufbau der Häuser, der durch eine größere Anzahl von Lichtbildern erläutert wird, zeigt sehr ansprechende und ausgereifte Formen. Die Veröffentlichung reiht sich den besten Arbeiten auf dem Gebiete des Kleinsiedlungswesens an. P. F.

Das Großberliner Baugewerbe. Von Dr. Emmy Reich. 2. Heft des Handbuchs Großberliner Wohnungspolitik (7. Heft der Schriften des Großberliner Vereins für Kleinwohnungswesen). Herausgeber: Dipl.-Ing. E. Leyser. Berlin 1918. Karl Heymanns Verlag. 84 S. in 8°. Geh. 2 *M*.

Diese Schrift ist zu einer Zeit verfaßt, als der traurige Ausgang des Krieges noch nicht erwartet werden konnte. Infolgedessen sind einige Betrachtungen, insonderheit solche, welche die zukünftigen Verhältnisse auf dem Baumarkt und im Baugewerbe behandeln — z. B. über die Preise und die Löhne (!) nach Friedensschluß — durch die Ereignisse überholt. Das trifft auch für das Schlußkapitel „Übergangsmaßregeln für den Frieden" zu. Der Wert des Heftes liegt somit nicht in der Schilderung dessen, was wir zu erwarten haben — und soll wohl auch weniger darin liegen —, als vielmehr in der Darstellung der geschichtlichen Entwicklung des Berliner Baugewerbes, die teilweise bis auf die fünfziger Jahre des 19. Jahrhunderts zurückgeht. Dieses ebenso anregende wie für das Verständnis des Berliner Wohnungswesens äußerst wichtige Thema behandelt die Verfasserin, indem sie in kurzen Abschnitten auf den Werdegang der Baustoffgewerbe, des Bauhandwerks, des Bauunternehmers, des Baumarktes, des Baugewerbes, der Bauarbeiterlöhne und der Baustoffpreise eingeht. Es ist klar, daß dieser reiche Stoff in seiner Entwicklungsgeschichte auf einer nur 31 Seiten umfassenden Darstellung nicht erschöpfend behandelt werden kann, und oftmals bedauert man, daß angeknüpfte Fäden nicht weiter gesponnen, sondern mehr oder weniger unvermittelt abgebrochen werden. Das Bedauern ist um so größer, als gerade durch eine ausführlichere Bearbeitung des behandelten Themas überaus bedeutungsvolle Gesichtspunkte für den Neuaufbau des zukünftigen Berliner Baugewerbes und die Weiterentwicklung des Berliner Wohnungswesens gewonnen werden könnten. Geht die Knappheit der Schilderung so weit, daß hierunter die Beweismittel der aufgestellten Leitsätze leiden — beispielsweise werden aus nur zwei mitgeteilten Zahlen der Schöneberger Neubaustatistik Rückschlüsse auf die gesamten westlichen Vororte gezogen (S. 6) —, so dürfte dies sogar, ohne die Richtigkeit der Schlußfolgerungen anzweifeln zu wollen, gewisse grundsätzliche Bedenken erregen.

Sieht man hiervon ab, so muß man feststellen, daß es die Verfasserin in geschickter Weise verstanden hat, in dem engen Rahmen, der ihr gezogen war, diejenigen Gesichtspunkte, die ihr Thema blitzlichtartig zu erhellen vermögen, herauszuarbeiten. Die größte Beachtung von den zwölf Kapiteln erweckt das achte mit der Überschrift „Reformmaßregeln", das man sich, entsprechend erweitert und ausgebaut, als Höhepunkt an den Schluß gesetzt wünschen möchte. Hier finden wir einmal in eigenen Gedanken der Verfasserin einen Teil der Schlußfolgerungen ausgesprochen, die wir vorher in weitergehender Weise aus allen Betrachtungen gezogen wissen wollten. Außerdem ist aus diesem Kapitel die gesunde Tendenz der ganzen Schrift — wenn eine solche herausgelesen werden will — zu erkennen. Im Anschluß an eine Betrachtung über den Klein- und Großbetrieb im Baugewerbe wird ein Teil der Bedenken geschildert, die einer Auslieferung des Berliner Wohnhausbaues an das Großkapital entgegenstehen. Gleichzeitig wird einer Heranziehung des Kleinkapitals das Wort geredet. Die Gesundung des Berliner Baugewerbes ist möglich, ohne das Großkapital als Helfer herbeizurufen, wenn es gelänge, die Herrschaft des Massenmiethauses einzuschränken und dem kleineren Bürgerhause auch in Großberlin eine weitere Verbreitung zu schaffen. Auf diesem Wege — und wohl nur auf diesem Wege — ist auch die Nutzbarmachung des Kleinkapitals für das Berliner Wohnungswesen wieder möglich. Das sind gesunde Gedanken, die nachdrücklichste und wärmste Unterstützung und Förderung verdienen. Die Verfasserin hat bei ihrer Niederschrift nicht ahnen können, daß schon eine so nahe Zeit wie die jetzige und die unmittelbar vor uns liegende der Verwirklichung dieser Gedanken so günstig sein würde.

München. Dr.-Ing. Albert Gut.

Verlag von Wilhelm Ernst & Sohn, Berlin. — Für den nichtamtl. Teil verantwortlich: In Vertr. R. Bergius, Berlin. Druck der Buchdruckerei Gebr. Ernst, Berlin.

Anmerkungen / Quellennachweis

[1] Ritter, F., Integrale Sicherheitskonzepte, in Wissens-Forum 2010 Schutz von Kulturgut und historischen Gebäuden, Aktuelle Ansprüche und Lösungen und integrale Sicherheit, St. Gallen 16. Juni 2010, S. 41–52, hier S. 43

[2] Baltz-Fischer, Preußisches Baupolizeirecht, Neu herausgegeben von Geh. Regierungsrat F. W. Fischer, Fünfte, vermehrte und neubearbeitete Auflage, Berlin 1925, S. 105

[3] Diese Begriffe wurden der Brandschutz-Erläuterung der Gebäudeversicherung Bern „Brandschutz in Baudenkmälern" (BSE 5, Stand 01/2007) entnommen, auf die im Folgenden noch näher eingegangen wird.

[4] Brandschutz bei Baudenkmälern [Baudenkmalen], hrsg. v. d. Vereinigung der Landesdenkmalpfleger in der Bundesrepublik Deutschland (Beratung Karl-Reinhard Seehausen, Marburg), Arbeitsblatt 13, Aachen 1997, S. 1

[5] Brandschutz im Baudenkmal, hrsg. v. d. Vereinigung der Landesdenkmalpfleger in der Bundesrepublik Deutschland (Fachberatung Dr.-Ing. Architekt Gerd Geburtig), Arbeitsheft 13, Münster 2014

[6] Geburtig, G., Brandschutz im Baudenkmal – Grundlagen, Beuth Verlag Berlin 2017, 2 Auflage, hier Kap. 2.

[7] Geburtig, G., Bauen im Bestand – Baurecht, Möglichkeiten und Grenzen, in: Bauen im Bestand – mit Holz, 4. Holzbauforum, Berlin 2004, S. 8–36, hier S. 9

[8] K. Schneider, Rechtsprechung in Streitfällen, in: Bestandsschutz und Brandschutz, vds [Verband der Sachversicherer] – Fachtagung am 23. November 2005 in Köln, o. S., Manuskripts. 3

[9] Ebd.

[10] Denkmalschutzgesetz Berlin (DSchG Bln), vom 24. April 1995 (GVBl. S. 274), geändert durch Art. II Nr. 1 u. 2 d. Ges. v. 4. 7. 1997, Art. IV d. Ges. v. 17. 5. 1999, Art. XLVI d. Ges. v.16. 07. 2001, Art. IV d. Ges. v. 29. 09. 2005 und Art. II d. Ges. v. 14. 12. 2005 (GVBl. S. 754), hier § 13 (1)

[11] Brandschutzleitfaden für Gebäude besonderer Art oder Nutzung, hrsg. v. Bundesministerium für Verkehr, Bau- und Wohnungswesen, Berlin November 1998, 2. Auflage, S. 15

[12] Musterbauordnung, Stand November 2002, zuletzt geändert durch Beschluss der Bauministerkonferenz vom 22. 02. 2019, § 3

[13] Ebd., § 3

[14] Oberverwaltungsgericht Nordrhein-Westfalen, Urteil vom 28.8.2001, Az.: 10 A 3051/99, Baurecht 2002, S. 763

[15] Temme, H.-G., Bauordnungsrechtliche Forderungen bei der Modernisierung oder Umnutzung auch denkmalgeschützter Gebäude, in: Deutsches Architektenblatt, H. 11, Berlin November 1992, S. OST 463–OST 470, hier S. OST 464

[16] Finkelnberg, K., Zum Schutz von Baudenkmalen in Berlin, in: Festschrift zum 125jährigen Bestehen der Juristischen Gesellschaft zu Berlin, hrsg. Von D. Wilke, Berlin 1984, S. 129–148, hier S. 132

[17] Wohnungsgesetz vom 28. März 1918, Artikel 4 § 1 Nr. 4

[18] Baltz-Fischer, ..., wie Anm. 2, hier S. 106

[19] Finkelnberg, K., Zum ..., wie Anm. 16, hier S. 133

[20] Denkmalpflegerische Grundbegriffe, Praxis Ratgeber zur Denkmalpflege Nr. 10 – Dezember 2003, hrsg. v. d. Deutschen Burgenvereinigung e.V., Braubach 2003, S. 6

[21] Schmidt, H., Reversibilität. Utopischer Anspruch oder notwendige Forderung der Denkmalpflege?, in: Erhalten historisch bedeutsamer Bauwerke. Baugefüge, Konstruktionen, Werkstoffe. Sonderforschungsbereich 315 der Universität Karlsruhe, Jahrbuch 1991, Berlin 1993, S. 1–17, hier S. 3

[22] Geburtig, G., Brandschutz ..., wie Anm. 6, hier S. 54 f.

[23] S. u.a.: Althaus, E., Was ist Reversibilität?, in: Arbeitsheft 11/1992 des Sonderforschungsbereiches 315, Universität Karlsruhe, Karlsruhe 1992, S. 49 ff.; Julier, J., Ist Vergangenheit reproduzierbar?, in: Arbeitsheft 11/1992 des Sonderforschungsbereiches 315, Universität Karlsruhe, Karlsruhe 1992, S. 15–25; Petzet, M., Reversibilität – das Feigenblatt in der Denkmalpflege?, in: Ebd., S. 9–14 und Emmerling, E., Reversibilität aus der Sicht des Restaurators in der Denkmalpflege, in: Ebd., S. 37–47

[24] Internationale Charta über die Erhaltung und Restaurierung von Kunstdenkmälern und Denkmalgebieten, sog. Charta von Venedig, 1964

[25] Geburtig, G., Brandschutz ..., wie Anm. 6, hier S. 24 f.

[26] Temme, H.-G., Geschützter oder nicht geschützter Bestand, in: Bestandsschutz und Brandschutz, vds [Verband der Sachversicherer] – Fachtagung am 23. November 2005 in Köln, o. S., Manuskripts. 6

[27] Ebd.

[28] Baltz-Fischer, Preußisches Baupolizeirecht, Neu herausgegeben von Geh. Regierungsrat F. W. Fischer, Sechste, vermehrte und neubearbeitete Auflage, Berlin 1934, Unveränderter Nachdruck 1954, Berlin 1954, S. 273 ff.

[29] „Bauliche Anlagen, die auf Grund genehmigter Baupläne errichtet sind und zur Zeit der Errichtung den damals geltenden polizeilichen Vorschriften entsprachen, unterliegen auch im Falle der Änderung des Baurechts den Vorschriften, die zur Zeit der Errichtung galten, soweit nicht dringende Gründe der öffentlichen Sicherheit die Anwendung des neuen Baurechts erfordern oder dieses Erleichterungen gegenüber dem alten Baurecht bringt oder auch auf alte Bauten angewendet sein will … . Diese Beschränkung in der Anwendbarkeit des neueren Rechtes kommt gegenüber bestehenden baulichen Anlagen nur denjenigen bei Erlaß der BO. zugute, denen, falls es nach älterem Rechte für sie einer Erlaubnis bedurft hätte, eine solche Erlaubnis zur Seite steht. Einer illegalen Anlage gegenüber – auch wenn die Rechtswidrigkeit nur darin besteht, daß die Herstellung ohne die erforderliche Genehmigung erfolgt ist – sind die Bestimmungen der neueren BO. anzuwenden, da die Polizeibehörde, sobald sie zu der rechtlich vorgeschriebenen Prüfung der polizeilichen Zulässigkeit einer Anlage veranlasst wird, diese nur nach Maßgabe des zur Zeit der Prüfung geltenden öffentlichen Rechts vornehmen kann. Unerheblich ist es hierbei, ob die illegalen Anlagen von dem Vorbesitzer herrühren. … Wenn es sich hierbei um einen Bau handelt, über dessen Entstehung die Bauakten keine Auskunft geben, liegt der Baupolizei der Beweis ob, daß ohne Baugenehmigung gebaut ist." führt F. W. Fischer in der Anmerkung 2 zum § 35 der Einheitsbauverordnung aus, s. Baltz-Fischer, Preußisches Baupolizeirecht …, wie Anm. 28, hier S. 389 (Anmerkung 2).

[30] „Bezüglich der Anwendung neuer baurechtlicher Bestimmungen auf Bauten, die auf Grund einer ordnungsmäßig erteilten Baugenehmigung bereits begonnen sind.", s. Baltz-Fischer, Preußisches Baupolizeirecht …, wie Anm. 28, hier S. 389 (Anmerkung 3).

[31] „Ob diese Voraussetzung zutrifft, wird in jedem Falle einer besonders gewissenhaften Prüfung bedürfen, wenn anders der leitende Grundsatz, der das auf der Grundlage der landesrechtlichen Bestimmungen entwickelte Baurecht herrscht, gewahrt bleiben soll. Vorausgesetzt wird für das polizeiliche Einschreiten das Vorhandensein einer dringenden nach pflichtmäßigem Einschreiten zu befürchtenden konkreten Gefahr.", s. Baltz-Fischer, Preußisches Baupolizeirecht …, wie Anm. 28, hier S. 389 (Anmerkung 4).

[32] „Die Entscheidung darüber, welche bauliche Arbeit eine erhebliche Veränderung eines Gebäudes darstellt, läßt sich nur auf Grund freier Würdigung der konkreten Verhältnisse des Einzelfalls treffen. … Hierbei wird bei der einschneidenden Wirkung, die der § 35 Abs. 2 an die Vornahme

erheblicher baulicher Veränderungen knüpft, zunächst daran festgehalten werden müssen, daß nicht bloß ganz unbedeutende bauliche Änderungen auszuschließen sind, sondern daß umgekehrt die Erheblichkeit des Veränderungsbaues klar zutage liegen muß .... In den meisten Fällen wird sodann der Frage – wenn schon keineswegs als der allein entscheidenden – näher getreten werden müssen, inwieweit die körperliche Gestaltung und die Zweckbestimmung des Gebäudes andere werden sollen. In ersterer Hinsicht kann indes als erheblich keineswegs nur ein solcher Veränderungsbau angesehen werden, vermöge dessen das ihm unterworfene Gebäude ein wesentlich anderes wird ..., oder bei dem die zur Veränderung an der Substanz des bestehenden Gebäudes nötigen Änderungen erheblich sind, vielmehr wird es auch darauf ankommen, ob damit sich eine erhebliche Veränderung der bestehenden Räume dadurch vollzieht, daß ihre Bedeutung mit Bezug auf ihre Zweckbestimmung sich in erheblichem Maße erhöht und vermehrt .... Einen gewissen Anhalt für die Beurteilung der Frage werden auch die Kosten bieten, die durch den beabsichtigten Veränderungsbau verursacht werden .... Daß es genügt, wenn auch nur mehrere bauliche Arbeiten zusammen die erhebliche Veränderung darstellen, ist nach der Fassung der EBO. nicht zu bezweifeln. Daß die baulichen Arbeiten, die zusammen eine erhebliche Veränderung eines Gebäudes darstellen, auf Grund einer und derselben Baugenehmigung gleichzeitig vorgenommen werden müssen, ist keineswegs die Voraussetzung für die Anwendbarkeit der Bestimmung in § 35 Abs. 2. Unter Berücksichtigung der angeführten Gesichtspunkte hat das OVG. beispielsweise nicht als erheblichen Veränderungsbau betrachtet: bei dem Anbau eines Seitenflügels den Durchbruch einer Tür im Erdgeschoß und im ersten Stockwerk (E. v. 24. Januar 1893), die Verbreiterung einer Durchfahrt, die lediglich durch das Zurückziehen mehrerer, die erforderliche licht Weite einengender Pfeiler erreicht werden sollte, die Herstellung von 5 Podestklosetts (E. v. 24. Januar 1893, Hr. IV 84). Als erheblicher Veränderungsbau ist dagegen anerkannt der Ausbau eines Ladens bei Ausbruch von Schaufenstern und Senkung des bisherigen Fußbodens, wodurch die bisher als Wohnräume benutzten Kellerräume zu diesem Zwecke unbrauchbar wurden.“ s. Baltz-Fischer, Preußisches Baupolizeirecht ..., wie Anm. 28, hier S. 390 (Anmerkung 5).

[33] „Die Stellung besonderer Bedingungen ist also in das polizeiliche Ermessen gestellt. Die Vorschrift ermächtigt die Baupolizei nur, verpflichtet sie aber nicht .... Solche Bedingungen werden zu stellen sein, wenn die Zustände der von der Veränderung selbst nicht berührten Gebäudeteile eine Verbesserung dringend erwünscht erscheinen lassen. Das

Vorhandensein neuzugestaltender Gebäude darf nicht etwa im Sinne einer direkten Versagung des projektierten Veränderungsbaues verwertet werden, vielmehr beschränkt sich die Bestimmung auf die Ermächtigung der Behörde, die Genehmigung zu diesem Bau an die Bedingung zu knüpfen, daß gleichzeitig eine Umgestaltung jener anderen Gebäudeteile erfolgte – ein Unterschied, dessen prinzipielle Bedeutung und Tragweite auch nicht dadurch wesentlich abgeschwächt wird, daß im praktischen Erfolge – mittelbar – auch schon durch die hinzugefügte Bedingung die Ausführung des beabsichtigten Veränderungsbaues untunlich werden kann … . Die gestellten Bedingungen müssen klar, bestimmt und inhaltlich scharf umgrenzt sein … . Besonders häufig pflegt bei erheblichen Veränderungsbauten namentlich älterer Gebäude die Bedingung gestellt zu werden, daß einzelne seither als Wohn-, Schlaf- oder Arbeitsräume benutzte Räume, die aber dem jetzigen Baurechte nicht mehr entsprechen, in Zukunft z. d. A. v. M. nicht mehr benutzt werden dürfen, daß Bedürfnisanstalten verändert oder verlegt werden; aber selbst den vollständigen Abbruch von Gebäudeteilen zur Bedingung zu machen, ist die Polizeibehörde befugt, sie kann beispielsweise, wenn in einem Hause, dessen Fronthöhe die Straßenbreite überschreitet, umfassende bauliche Veränderungen zur Herstellung von Läden vorgenommen werden, die Verminderung der Fronthöhe bis auf das nach der BO. zulässige Maß zur Bedingung machen.“, s. Baltz-Fischer, Preußisches Baupolizeirecht …, wie Anm. 28, hier S. 390 (Anmerkung 6).

[34] „Die Forderung nach Änderung nicht berührter Gebäude oder Gebäudeteile muß notwendig im Sinne des § 14 Polverwges. sein; es genügt nicht, daß der vom Kläger beabsichtigte Umbau eine günstige Gelegenheit bietet … . Die Bestimmungen einer Bauordnung, die den Bauwich gegenüber den früher gültigen Bestimmungen vergrößern, sind nur dann auf Umbauten anzuwenden, wenn dies in der Bauordnung ausdrücklich festgesetzt ist; der Abbruch eines bestehenden Gebäudes kann nur gefordert werden, wenn den im öffentlichen Interesse zu stellenden Anforderungen auf keine andere Art genügt werden kann … . Auch von den auf Grund der Vorschrift in § 35 Abs. 2 auferlegten Bedingungen ist Befreiung (§ 5) zulässig … . Glaubt übrigens die Baugenehmigungsbehörde in einem Falle der letzteren Art ein Befreiungsgesuch befürworten zu sollen, ist es zweckmäßiger und kürzer, die gestellte Bedingung einfach direkt zurückzunehmen und damit eine besondere Beschlußfassung über die Befreiung entbehrlich zu machen.“, s. Baltz-Fischer, Preußisches Baupolizeirecht …, wie Anm. 28, hier S. 391 (Anmerkung 7).

[35] Bauordnung für Berlin (BauO Bln) vom 29. September 2005, zuletzt geändert am 12. Oktober 2020, § 84 (1)

[36] BauR 9/2009, S. 1433, OVG Mecklenburg-Vorpommern, Beschluss vom 12. September 2008 – 3 L 18/02 – (VG Schwerin)

[37] Hessischer Verwaltungsgerichtshof, Beschluss vom 18. 10. 1999 – 4 TG 3007/97; siehe auch: Die öffentliche Verwaltung, Bd. 53, H. 8, Stuttgart, April 2000, S. 338 f., eine ausführliche Erörterung dieses Gerichtsurteils ist bei G. Geburtig, Brandschutz ..., wie Anm. 6, S. 37 f. zu finden.

[38] Nida-Rümelin, J. u. N. Weidenfeld, Die Realität des Risikos – Über den vernünftigen Umgang mit Gefahren, München 2021, S. 11

[39] Baltz, C., Preußisches Baupolizeirecht. Im Anschluß an die Baupolizeiordnung für den Stadtkreis Berlin vom 15. August 1897 für den praktischen Gebrauch dargestellt von Dr. jur. Constanz Baltz, Berlin 1897, S. 113

[40] Ebd.

[41] Entwurf einer Bauordnung. Erlaß des Staatskommissars für das Wohnungswesen vom 25. April 1919, in: Baupolizeiliche Vorschriften, hrsg. v. Preußischen Ministerium für Volkswohlfahrt, Druckschrift Nr. 3, Berlin 1925, S. 16–62, s. auch Anhang 6.3

[42] Baltz-Fischer, ... wie Anm. 28, hier S. 273

[43] Der baupolizeiliche Feuerschutz für Wohngebäude, landwirtschaftliche und kleingewerbliche Gebäude von Dipl.-Ing. Schultzenstein, Studienrat an der staatl. Baugewerbeschule Berlin-Neukölln für die Provinz Schleswig-Holstein bearbeitet in Gemeinschaft mit Landesoberamtmann Schlottmann, Kiel, hrsg. von der Landesbrandkasse der Provinz Schleswig-Holstein, Kiel 1929, S. VII

[44] Geburtig, G., Baulicher Brandschutz im Bestand – Band 1: Brandschutztechnische Beurteilung vorhandener Bausubstanz, Beuth Verlag Berlin, 2. Auflage 2017, S. 9 ff.

[45] Geburtig, G., Anlagentechnische Maßnahmen für den Brandschutz bei Burgen und Schlössern, in: Burgen und Schlösser, Heft 1, Deutsche Burgenvereinigung Braubach 2003, S. 36–41

[46] Denkmalschutzgesetz Berlin ..., wie Anm. 10, hier § 1 (1)

[47] Ebd., § 1 (2)

[48] Thüringer Gesetz zur Pflege und zum Schutz der Kulturdenkmale (ThürDschG), Neubekanntmachung vom 14. April 2004, hier § 1 (1)

[49] Brandschutz bei Baudenkmälern [Baudenkmalen], hrsg. v. d. Vereinigung der Landesdenkmalpfleger in der Bundesrepublik Deutschland (Beratung Karl-Reinhard Seehausen, Marburg), Arbeitsblatt 13, Aachen 1997

[50] Ebd., S. 1

[51] Brandschutz im Baudenkmal, hrsg. v. d. Vereinigung der Landesdenkmalpfleger in der Bundesrepublik Deutschland (Fachberatung Dr.-Ing. Architekt Gerd Geburtig, Weimar), Arbeitsheft 13, Münster 2014

[52] Brandschutzanforderungen für bestehende Gebäude – Hinweise zur Rechtslage Bekanntmachung des Thüringer Ministeriums für Infrastruktur und Landwirtschaft vom 1. April 2019 ThürStAnz Nr. 17/2019 S. 784 – 790, S. 2

[53] Ebd.

[54] Grundgesetz für die Bundesrepublik Deutschland in der im Bundesgesetzblatt Teil III, Gliederungsnummer 100-1, veröffentlichten bereinigten Fassung, das zuletzt durch Artikel 1 u. 2 Satz 2 des Gesetzes vom 29. September 2020 (BGBl. I S. 2048) geändert worden ist

[55] Verordnung über die Organisation und Durchführung der Gefahrenverhütungsschau (Gefahrenverhütungsschauverordnung – GVSVO) vom 17. Dezember 2019

[56] Ebd., Anlage 1 (zu § 1)

[57] Verordnung ..., wie Anm. 55, hier § 6

[58] Hamburgisches Oberverwaltungsgericht, Beschluß vom 4. 1. 1996, Az.: BS II 61/95, DRsp Nr. 1998/3323

[59] SIA, Norm 81, Brandrisikobewertung – Berechnungsverfahren, hrsg. v. Schweizerischen Ingenieur- und Architekten-Verein (SIA), dem Brandverhütungsdienst für Industrie + Gewerbe (BVD) und der Vereinigung kantonaler Feuerversicherungen (VKF), Zürich 1984, S. 6., mittlerweile zurückgezogen

[60] In der SIA Norm 81 wurden variable Kenngrößen für die das Brandrisiko beeinflussenden Faktoren vorgegeben, die für ein Gebäude zu unterschiedlichen Sicherheitseinstufungen führen können.

[61] www.bsvonline.vkf.ch, s. u. a. Brandschutzerläuterung Bewertung Brandabschnittsgrößen – Sicherheitsnachweis bei industriellen und gewerblichen Nutzungen – Berechnungsverfahren vom 19. 12. 2007/115-03d, hrsg. v. d. Vereinigung Kantonaler Feuerversicherungen

[62] DIN 4102, Brandverhalten von Baustoffen und Bauteilen, Teil 4: Zusammenstellung und Anwendung klassifizierter Baustoffe, Bauteile und Sonderbauteile, 1994-03; Teil 22: Anwendungsnorm zu DIN 4102-4 auf der Basis von Teilsicherheitsbeiwerten, 2004-11; Dokument A1: Zusammenstellung und Anwendung klassifizierter Baustoffe, Bauteile und Sonderbauteile, Änderung A1, 2004-11

[63] S. dazu Geburtig, G., Baulicher ..., wie Anm. 44. Dort sind u. a. die historischen Fassungen von DIN 4102 vom August 1934 und vom November 1940, welche bis 1965 in Deutschland gültig war, abgedruckt.

[64] Von R. Ahnert und K. H. Krause wurden drei Bände vorgelegt, die auf der Grundlage der bauzeitlichen Vorschriften der Baupolizei oder der Empfehlungen anerkannter Fachleute der Errichtungszeit den Umgang mit der vorhandenen Bausubstanz erleichtern: „Typische Baukonstruktionen von 1860 bis 1960 – Zur Beurteilung der vorhandenen Bausubstanz“, Bd. I: Gründungen, Abdichtungen, Tragende massive Wände, Gesimse, Hausschornsteine, tragende Wände aus Holz, Alte Maßeinheiten; Bd. II: Holzbalkendecken, Massivdecken, Deckenregister, Fußböden, Erker und Balkone, Verkehrslasten im Überblick; Bd. III: Unterzüge und gemauerte Gurtbögen, Pfeiler und Stützen, Treppen, Dächer und Dachtragwerke, Dachaufbauten aus Holz, Lastannahmen zum Dach, Beuth Verlag Berlin, 7. Auflage 2009

[65] Erler, K., Alte Holzbauwerke – Beurteilen und Sanieren, Beuth Verlag Berlin, 2004

[66] Mönck, W. u. W. Rug, Holzbau – Bemessung und Konstruktion, Beuth Verlag Berlin, 15. Auflage 2008

[67] DIN 4102, z. B. Fassungen der Jahre 1934 und 1940

[68] Baupolizeiliche Bestimmungen über Feuerschutz (feuerbeständige und feuerhemmende Bauweisen), Erlaß des Preußischen Ministers für Volkswohlfahrt, Berlin 12. März 1925

[69] Metz, L., Holzschutz gegen Feuer, Berlin 1942, S. 20; des. L. Metz, Herabsetzung der Brennbarkeit des Holzes, Mitteilungen des Fachausschusses für Holzfragen, H. 13, Berlin 1936

[70] WTA-Merkblatt 8-12, Ausgabe 05.2017/D, Fachwerkinstandsetzung nach WTA XII: „Brandschutz von Fachwerkgebäuden und Holzbauteilen“, WTA-Publications, München 2017,https://www.wta-international.org/de/service/wta-merkblaetter/

[71] WTA-Merkblatt 11-1, Ausgabe 11.2020/D, Brandschutz im Bestand und bei Baudenkmalen I: „Grundlagen“, WTA-Publications, München 2020, www. https://www.wta-international.org/de/service/wta-merkblaetter/

[72] DVGW W 405:2008-02, Bereitstellung von Löschwasser durch die öffentliche Trinkwasserversorgung und DVGW W 405-B1:2016-06, Bereitstellung von Löschwasser durch die öffentliche Trinkwasserversorgung – Beiblatt 1: Vermeidung von Beeinträchtigungen des Trinkwassers und des Rohrnetzes bei Löschwasserentnahmen

[73] Vollzug der Thüringer Bauordnung, Bekanntmachung vom 30. Juli 2018 (VollzBekThürBO), Nr. 14.2

[74] Geburtig, G., Baulicher ..., wie Anm. 44

[75] Brandschutzanforderungen ..., wie Anm. 52. Im Pkt. 2.1.2 wird das wie folgt formuliert: „Es sind die Mindestmaßnahmen zur Beseitigung der konkreten Gefahr zu benennen. Dabei sollten auch mögliche Alternativmaßnahmen in technischer, organisatorischer und wirtschaftlicher Hinsicht beschrieben und nach ihrer Wirksamkeit bewertet werden. Nach dem Verhältnismäßigkeitsgrundsatz sind (nur) diejenigen geeigneten Maßnahmen aufzuzeigen, die ein unverzichtbares Mindestmaß an Sicherheit für Menschen gewährleisten und nicht außer Verhältnis zum jeweils erzielbaren Sicherheitsgewinn."

[76] DIN NA 005-52-04 AA, Auslegung des Normungsausschusses zu früheren Fassungen von DIN 4102, in: Sitzungsbericht der außerordentlichen Sitzung des NA 005-52-04 AA „Brandverhalten von Baustoffen und Bauteilen – Klassifizierung (Katalog)" am 16. November 2018 in Berlin vom 17. 12. 2018, TOP 6

[77] Geburtig, G., Brandschutz im Bestand – Holz, Fraunhofer IRB Verlag Stuttgart, 2009

[78] DIN 18009-1:2016-09, Brandschutzingenieurwesen – Teil 1: Grundsätze und Regeln für die Anwendung

[79] Ebd., hier Abschnitte 4.2.2 und 4.2.3

[80] Brandschutzanforderungen ..., wie Anm. 52, hier Pkt. 2.1.3.2

[81] DIN 4102-3:1977-09, Brandverhalten von Baustoffen und Bauteilen; Brandwände und nichttragende Außenwände, Begriffe, Anforderungen und Prüfungen

[82] Richtlinie über den baulichen Brandschutz im Industriebau (Muster-Industriebau-Richtlinie – MIndBauRL), Stand Mai 2019

[83] Musterbauordnung (MBO), Fassung November 2002, zuletzt geändert durch Beschluss der Bauministerkonferenz vom 27. 09. 2019

[84] Arbeitsschutzgesetz vom 7. August 1996 (BGBl. I S. 1246), das zuletzt durch Artikel 1 des Gesetzes vom 22. Dezember 2020 (BGBl. I S. 3334) geändert worden ist, § 5 (1). Demnach hat der Arbeitgeber „durch eine Beurteilung der für die Beschäftigten mit ihrer Arbeit verbundenen Gefährdung zu ermitteln, welche Maßnahmen des Arbeitsschutzes erforderlich sind."

[85] Dietrich, M. u. F. Pillar, Über die Aufschlagsrichtung von Notausgangstüren, in: Feuertrutz, Ausgabe 4.2019, Köln 2019, S. 6–11

[86] Thüringer Bauordnung (ThürBO) vom 16. 03. 2004, zuletzt geändert am 08. 07. 2009, hier § 32 (6) Nr. 1
[87] DVGW W 405:2008-02, Bereitstellung ..., wie Anm. 72
[88] Thüringer Bauordnung (ThürBO) vom 16. 03. 2004, zuletzt geändert am 08. 07. 2009, hier § 32 (6) Nr. 1 Vollzug der Thüringer Bauordnung, Bekanntmachung vom 30. Juli 2018 (VollzBekThürBO) Nr. 14.2
[89] DIN 4844-3:2003-09, Sicherheitskennzeichnung – Teil 3: Flucht- und Rettungspläne
[90] DIN 14095:2007-05, Feuerwehrpläne für bauliche Anlagen
[91] DIN 14096:2014-05, Brandschutzordnung – Regeln für das Erstellen und Aushängen
[92] Erlaß, betreffend den Entwurf einer Bauordnung, Berlin, den 25. April 1919, in: Zentralblatt der Bauverwaltung, Berlin 1919, Nr. 42, 225
[93] Entwurf zu einer Bauordnung, in: Zentralblatt der Bauverwaltung, Berlin 1919, Nr. 42, S. 225 – 231, § 30.
[94] Ebd., hier § 35.
[95] Ebd., hier § 5.

Stichwortverzeichnis